给　同学们

罗辑思维

经济解释 卷二

收入与成本 二〇一四增订版

张五常◎著

中信出版集团·CHINA**CITIC**PRESS·北京

图书在版编目（CIP）数据

经济解释：二〇一四增订版：四卷本/张五常著.—2版.—北京：中信出版社，2015.9
ISBN 978-7-5086-5391-4

I.①经… II.①张… III.①经济学－文集 IV.①F0-53

中国版本图书馆CIP数据核字〔2015〕第191692号

经济解释 二〇一四增订版 四卷本

著　　者：张五常
策划推广：中信出版社（China CITIC Press）
出版发行：中信出版集团股份有限公司
　　　　　（北京市朝阳区惠新东街甲4号富盛大厦2座　邮编　100029）
　　　　　（CITIC Publishing Group）
承 印 者：北京通州皇家印刷厂

开　　本：880mm×1230mm　1/32　　　　印　张：44.5　　　字　数：857千字
版　　次：2015年9月第2版　　　　　　　印　次：2015年9月第1次印刷
广告经营许可证：京朝工商广字第8087号
书　　号：ISBN 978-7-5086-5391-4 / F·3453
定　　价：119.00元（全4册）

目录

收入与成本

前言

提出"收入是一连串事件"这个重要理念的天才费雪，格言不少，其中"利息不是收入的局部，而是收入的全部"是后来弗里德曼写《消费函数理论》的中流砥柱。得到这格言的启发，四十年前我提出"利息不是成本的局部，而是成本的全部"，老师阿尔钦听到，来信大赞一番。这样说，收入也就是成本了。不是浅学问，同学们要细心思量，反复考虑，务求达到融会贯通之境。

本卷分析的收入、投资，选走的是费雪的路，否决了凯恩斯学派的理论基础。跟着我提出仓库理论，解决了财富累积这个历来是经济学传统的大难题。再跟着给上头成本一个新阐释，带到合约结构那边去，生产成本于是变得有明确的规律了。最后我把交易与制度费用一般化，也把租值消散带进制度费用中。

在卷一第九章第二节我解释过，因为经济学的公理大部分无从观察，概念的掌握格外重要。这掌握要从可以观察到的现象或行为的规律来作印证，阐释于是变得多彩多姿。人类的行为有规律是适者生存的结果，经济学的概念是否正确因而也要经得起适者生存

13

的考验了。

张五常

二〇一四年十月八日

"劳动力"（生产要素）与"珠子带"（产品）是不同之物，但购买劳动力与购买珠子带是同一回事，市场一也，跟擦鞋童与皮鞋光亮的例子一样，只是穿珠子多了一些"中间人"。以件工算工资，生产要素市场与产品市场的合约形式大致相同，多了中间人的监管与讯息的传达只是为了减少市场顾客需要做的工作，以中间人的专业处理成本较低。

第一章：市场概论

市场是物品或服务交换的地方。一七七六年斯密说得好："给我那我需要的，你就可以获得这你需要的，是每项交易的意思。"

交易有多种不同的形式。单是我们日常的市场交易就有多种变化。除了这些，圣诞节交换礼物是交易，送礼搞关系是交易，走后门是交易，政治交易也是交易。这些不同形式或不同性质的出现可能因为权利结构不同，或交易费用不同，或风俗习惯不同。不是浅学问，详尽的分析要用几本书，而好些交易我没有作过研究。

自愿的交易含意着每个参与者皆获利。此利也，不是平分的。每个交易者都希望能从对方多获一点甜头。决定交易利益分配的是市场竞争与交易费用。讲深一层，约束竞争的费用也就是交易费用。这是后话，按下不表。

第一节：交易的两个基本话题

先处理两个话题吧。其一是交易怎会带来利益呢？一方面，人与人之间的边际用值不同。这可能起于品味不同，或各自拥有的物品之量没有达到人与人之间的边际用值相等的均衡点。市场竞争会带来这边际用值相等，我在《科学说需求》的第七章解释过了。那所谓市场均衡，是指不同的需求者对同一物品的边际用值相等，再等于市价。这均衡要基于某些交易费用不存在，但不是基于所有交易费用不存在。如果所有交易费用不存在，不会有市场。换言之，市场的存在是为了减低某些交易费用。要减低哪些交易费用呢？我想了近二十年才找到答案，迟些再说，因为这里还没有解释租值及租值消散。另一方面，如果引进产出活动，交易的利益就更大了。这是因为人与人之间的生产成本不同，各自专业产出然后交易的利益可以很大。有产出活动的市场均衡，边际成本要加进去。这也是后话。

第二个要在这里先说一下的话题，是科斯定律。也只能略说——这定律的详尽分析是《制度的选择》的工程。这里要说的不是科斯一九六〇年发表的《社会成本问题》，而是早一年他发表的《联邦传播委员会》其中的一句话："权利有清楚的界定是市场交易的先决条件。"我认为这是科斯定律的几个版本中唯一可以称为"定律"的，只是"清楚"（clear）一词还有待商榷，但不值得花时间争议。

交易要有私产性质

科斯的思维当年有震撼性，因为他说的市场交易不是什么汽车、苹果，而是看不到、摸不着的音波频率。音波频率是可以界定的，事实上可以界定得清楚。好些其他在市场见到的物品或服务，其权利反而没有界定得那么清楚。这里的问题重心，是权利毫无界定的物品或服务，不能在市场成交。

圣诞节交换礼物是一种市场交易，但双方的互"送"大家要打开包装才知是什么。你送给我，不能肯定我也会送给你，但你有我会回送的期待，或在礼物回送之外的另一些"关系"期待。期待，或胡乱地猜测一下将来的回报，某程度也算是有了界定。任何人到市场购买任何物品，都期待着该物品可以带来的权利或好处，不一定很清楚，但总要有某程度的权利预期。买回来是你的，你才会出钱购买。这样看科斯定律，其实是看故老相传的交易定理（Theorem of Exchange）的一个必需条件，但传统可没有说权利要有界定才可以成交。（交易定理是同学们在大学读到的Edgeworth-Bowley Box 的分析，我在《科学说需求》第七章与第九章采用了一个远为简单清楚的方法处理。）从这角度看科斯定律，只不过是指出交易必须有的局限条件，也即是说某程度上，资产权利（不是说私人所有权）的界定是在市场成交的先决条件了。在《制度的选择》我们会再解释，权利界定不够清

19

楚，或交易费用过高，是社会成本问题的重心所在，也是行内认为是科斯最重要的贡献。

第二节：没有产出的市场

最简单的市场交易是没有生产活动的那种，即是《科学说需求》第七章与第九章处理的。没有生产，于是不论产出成本，好比市场上只有旧邮票或古文物等的存在。可以有货币作为媒介或计算单位，交易其实是物品换物品，早就存在的，不是见有价就从事生产活动的情况。

在这简单的市场内，任何市民见某物品的价够低，会用自己拥有的其他物品或货币来购买，见某物品价够高会把自己拥有的出售，务求该物品的相对价格跟自己的边际用值看齐。这是争取个人利益极大化的行为，而每个人在竞争下各自为战地这样做，上文提到的市场均衡会是结果。

需求曲线也是供应曲线

这里有趣的观点是：价格下降一个人会多购进，是需求定律，需求曲线向右下倾斜；价格上升这个人会多沽出，其供应曲线是向右上升的。说有趣，因为在这个简单的市场中需求曲线与供应曲线是同一回事。需求曲线向右下倾斜；价够高，这个市民沽出，在某价之上其供应曲线对着镜子看是需求曲线了。这样，需求定律也就是供应定律了。

我在《科学说需求》几次强调，不是真有其物的变量可避则避，愈少愈好。"需求量"是经济学者想象出来的意图之物，真实世界不存在，但无法避免，在《科学说需求》的第六章我解释过要怎样处理才能推出可以验证的假说。不容易，但可以处理。现在说到供应，供应量也是意图，也不是真有其物。可幸供应量与需求量类同，可以说是同一回事，要推出假说作验证，其处理方法是一样的。

一个天真的谬误

这里要补充的，是传统的分析有一个天真的谬误。需求定律是说需求曲线一定向右下倾斜，但传统说休息或休闲——无疑也是经济物品——价愈高其需求量愈大，因而推翻了需求定律。有关的分析错得天真。

传统的等优曲线分析是这样的。纵轴为金钱收入，横轴是一个人出售的工作时间，每天工作二十四小时为极限。从工资为零开始上升，一个人供应的时间量跟着上升，即是说休闲的时间下降。到了某一点，每小时的工资升到高处时，这个人每天工作的时间供应量会下降，也即是休闲时间的需求量会增加。翻过来是说，工资上升即是休闲之价上升，到了某一点，休闲的需求量是增加了。休闲之价上升，其需求量也上升，推翻了需求定律。（几何上，工资上升，工作时间的供应曲线先向右上升，跟着转弯向左上升。后者是说工作时间减少，休闲时间的需求量增加，推翻了需求定律。）

说这传统分析错得天真，因为这分析忘记了一个人不可以每天工作二十四小时还活得久！疲倦得不能动而还有雇主是奇迹，但那是雇主需求那方面，这里可以放过。不能放过的是每个人都要顾及自己的生命可能因为工作过度而变得短暂的代价。无论时间工资升得多么高，真实的工资收入是这工资减除了因为工作时间过长而引起病痛或一命呜呼的负值。换言之，每天工作到某一点，上升的时间工资，扣除了生命的所值，其实是下降了，代表着休闲之价下降，休闲的需求量因而增加了。这是需求定律。

第三节：产出市场与合约变化

要通过产出程序的市场的分析是复杂多了。因为生产的成本变化多，我们要处理生产成本与不同的合约安排。二者皆复杂，要向浅中求才可望收获。这是《经济解释》卷二与卷三的主要任务。这里的"开场白"是先略谈大概。同学可能认为这里说的跟课本教的格格不入，但这里说的全部是新古典的传统加上变化。

从一个小故事说起吧。一九八二年回港工作后几个星期，一位同事申请升职，要通过评审委员会。我是委员之一，而作为当时的系主任，我不能一题也不问。我见该同事的研究工作专于生产函数（production function），即是生产要素的投入与成品产出的关系的分析，于是问："如果你在街上让一个擦鞋童（当时的香港还容许这行业）把你的皮鞋擦亮了，你给他二元做酬报，这二元是购买他的劳力呢，还是购买皮鞋上的光亮？"他答不出来！所有生产函数分析都有这样的尴尬。

答案是二者皆对：产品市场也就是生产要素市场，二者分不开，只是不同角度看同一市场。

穿珠子的例子

二〇〇八年二月二十一日我发表的《从穿珠子看新劳动法》是旧话重提，但说得详尽一点：

二战后几年，香港西湾河的山头住着些破落户，是贫苦人家，我家一九三八建于该山头，相比起来是"豪宅"了。贫苦人家不少以穿珠子为生计，一个人从早穿到晚只赚得四口便饭一餐，鱼肉是谈不上的了。很小的不同颜色的玻璃珠子，用线穿起来成为头带或腰带，有点像印第安人的饰物，当时西方有市场。由代理人提供珠子、线与颜色图案的设计，操作者坐在自己家里按图穿呀穿的。以每件成品算工资，是件工。

代理人是老板了。不知是第几层的代理，他的报酬是抽取一个佣金。佣金多少或是秘密，或是胡说，但不同的代理人不少，有竞争，看他们的衣着，整天在山头到处跑——交、收、验货——其收入也是仅足糊口吧。

上述的平凡例子有几个绝不平凡的含意。一、从简单的件工角度看，劳动市场就是产品市场，二者分不开，传统的经济分析是错了的。二、如果政府管制件工的工资，就是管制产品的物价，价管是也。三、没有任何压力团体会对穿珠子这个行业有兴趣，因为作为代理的老板，作出的只是时间投资，赚取的只是一点知识的钱，身无长物，没有什么租值可以让外人动手动脚的。四、这些可怜的代理老板，就是经济学吵得热闹的 principal-agent 这个话题的主角人物。这题材可不是起自我一九八三的《公司的合约本质》，而是起自我一九六九发表的《交易费用、风险规避与合约选择》。

如上可见，"劳动力"（生产要素）与"珠子带"（产品）是不同之物，但购买劳动力与购买珠子带是同一回事，市场一也，跟擦鞋童与皮鞋光亮的例子一样，只是穿珠子多了一些"中间人"。以件工算工资，生产要素市场与产品市场的合约形式大致相同，多了中间人的监管与讯息的传达只是为了减少市场顾客需要做的工作，以中间人的专业处理成本较低。

时间工资合约有变

让我们跳到以时间算工资的例子。这里合约选择的变化比物品市场与件工合约市场的变化多了不少。严格来说，时间工资市场与物品市场还是同一市场，只是合约的形式有别。更重要的是工人的时间本身不是物品，不是顾客要购买之物，虽然原则上市场的任何产品都可以按产品之内的多个不同工人的参与贡献，以及各种原料的采用与机械的租值加起来算价：每个不同工人的小小贡献之价，琐碎原料之价，机械租金之价等。这样看，产品市场还是生产要素市场，二者一也，只是因为合约不同可以看为市场的性质不同。不要以为物品的顾客没有那样琐碎地算价，市场就改变了。顾客没有这样算，但通过产出机构的老板或"中间人"，这些琐碎之价是算了的，跟穿珠子的例子相比远为复杂，但原则还是一样。

因为时间工资不是直接量度劳动力对产品的贡献，监管的问题跟件工合约有很大的差别，牵涉到我在《制度的选择》提及的"履行定律"。合约的选择是一九六六年我写论文《佃农理论》时提出的研究话题。多年过去，这话题的重要性愈来愈明显。这里我要指出的是科斯一九三七年提出的公司替代市场不是正确的看法。正确的看法是一种合约替代了另一种。责任或权利的界定会跟着变。详尽的讨论要到《制度的选择》才处理。这里要指出的重点是：生产要素市

25

场与产品市场的分别是合约的形式不同。

第四节：结语

不要以为我吹毛求疵，强把产品市场与生产要素市场作为同一市场看。可以这样看，但因为合约不同可以看为市场的性质不同。传统分开处理往往顾此失彼，失误频频，而漠视了合约的选择与经济整体的合约结构，看少了很多。不同产品当然有不同市场，但同样产品，强把产品市场与生产要素市场分开处理可以严重地误导。话虽如此，为恐读者跟不上，有时我也逼着要跟传统的说法，其实是说不同的合约安排。

要明白市场交易的运作，我们要注意两件事。其一是合约选择，其整体要到《制度的选择》才处理，虽然从这里到那里我们在途中无可避免地偶尔涉及。第二件重要的事是概念的掌握。在卷一我们处理了与需求有关的概念：缺乏、竞争、均衡、功用、用值、换值、何谓价、何谓量等。卷二转到收入、利息、投资、财富、资本、成本、租值、利润、盈利、交易费用等。据我所知，概念的掌握，没有任何其他科学比经济学重要。

可以这样说吧。有解释力的经济理论是浅的，但概念掌握得不够好，这些理论不管用。有实用性的经济学概念是从人类行为的规律引申出来，可以看为是一类经验定律。这些概念是从斯密到今天二百多年的思想与观察的累积所得，是一些重要的思想遗产了。演进过程千山万水，可惜今天的专业文章没有教，一般课本说的要不是不够深入，就是错多对少。经济学的概念掌握要频频用真实世界的观察作印证才能学得到家。古往今来，能全面掌握这些概念的经济学者不及一掌之数。

果树会结果，农地有收成，结果与收成都是收入。然而，这收入可不是在果熟或稻熟时才得到的。果树或农作物每天都在变，不停地变，而每一小变都是收入（或负收入），所以收入是一连串的事件了。

第二章： 利息理论

利息理论（theory of interest）可以搞得湛深、复杂。这理论是今天在商业学院大行其道的金融学（finance）的中流砥柱。金融学是六十年代初期在加州洛杉矶搞起来的。我的老师赫舒拉发（J. Hirshleifer）是这门学问的"始作俑者"。他把差不多被遗忘了的费雪（I. Fisher, 1867-1947）创立的利息理论重新介绍，然后加上风险（risks）。作为赫师的入室弟子，我曾经花几个月的时间考虑以投资理论（investment theory，包括今天的金融学）作为博士论文，但解决不了量度风险的困难，放弃了。

不知今天的学者对量度风险有没有突破。当年的困难是，如果风险可以事前被量度，就没有风险可言了。后来我又意识到，那所谓风险，好些是交易费用的问题。既然可以交易费用处理，风险不谈也罢。今天的金融学，是费雪的利息理论加风险及交易费用，有时加得重复了。

话虽如此，赫师的一位学生（我的师兄）及当时在洛杉矶兰克公司工作的一位朋友，因为金融风险研究拿得诺贝尔经济学奖。可见该学问不简单。可幸的是，从解释行为的角度看，利息理论可以简化。复杂的是融资与投资组合的"怎么办"的问题。

这里分析的利息理论，主要是费雪的思想。此君是二十世纪最伟大的经济学者，而纯从可用的理论衡量，费雪的贡献无出其右。他是耶鲁大学的人。该校名满天下，主要因为费雪。费雪是经济学中的莫扎特。无论是功用分析、指数（index numbers）分析、货币理论、利息理论，此君皆立竿见影。他平生论著无数，皆天才之作也。费雪是一个超凡的木匠，是文件存档的设计大师，曾经莫名其妙地拿得纽约市的一个医学奖！

我还要指出的，是数世纪一见的经济学天才费雪，料事如神的费雪，竟然在三十年代的经济大衰退中破了产，由耶鲁大学破例给他居所。（是的，费雪曾经赚过很多、很多钱。）可见学经济不要存有幻想。解释行为可以，推断世事也可以。但赚钱要加上经验、个性、运情。原则上，局限的转变拿得准，跟着不再变，经济学老手的赚钱机会应该胜于街上的人。这是说可以验证的、有解释力的经济学。

第一节：五花八门的利息率

大家知道，利息是资本的回报。以时间算，我们日常见到的利息率有多种：存款利率、贷款利率、优惠利率、银行拆息率、长期利率、短期利率，以至高利贷的、香港人称为"大耳窿"的利率。五花八门，花多眼乱，有两个原因。其一是通货膨胀，其二是交易费用。

通胀（或通缩）是指来日的货币贬值（或升值），由市场的预期促成。市场有通胀预期（inflationary expectation），利率会上升，而长期利率会高于短期的，因为收回来的钱预期会贬了值。关于通胀或通缩带来的利率分析，有两个不容易解决的困难。一、我们不容易知道通胀或通缩的预期是怎样形成的，或预期的通胀或通缩率究竟是多少。可以见到的通胀或通缩率与预期的不同，而利率是由不可以见到的预期影响的。二、减除了预期的通胀或通缩的实质利率（real rate of interest），因为预期是空中楼阁，我们无从肯定。（逻辑上，实质利率不是金钱利率减通胀率，而是金钱利率减预期通胀率。）这些加上市场的贷款需求常有变动，长期与短期的利率结构（terms structure of interest rates）就成为一门复杂的学问了。

能知半夜事，富贵万千年。如果一个人能准确地推测通胀或通缩的预期对利率的影响，他可以在政府债券下注，买空或卖空赚很多钱。困难跟股票市场一样，需要知道的局限变化太多，所以除了碰巧，赚钱不容易。

上世纪七十年代后期与八十年代初期，美国的长期（三十年）债券的回报率高达年息率十九厘，而通胀的预期有明显迹象下降。较早时，好些经济学大师投资于长期债券上，跟着中了计，洗身去也。看得相当准，但还是输得一塌糊涂。我在他们输得七零八落之际替母亲下注，跟着也输得七零八落，债券经纪找不到我补钱，过了两个小时债券回升（长期利率下降），几个月后沽出无端端赚了一倍。

交易费用比风险好用

转谈交易费用与利率的关系吧。主要的关系，是在借贷市场上，交易费用好些时不另外收费，而是加在利率之上。例如，银行存款利率比贷款利率低，其差距是银行要赚的交易费用。当然，有时银行除利率的差距外，还要收一个贷款费用。

高利贷或"大耳窿"的情况，其年息率往往高达数十厘。这也是因为交易费用高而引起的。钱借出去没有保障可以收回来，"收烂账"的费用不仅高，且往往牵涉到黑社会或非法的行为。高利贷是因为借钱出去不容易收回来，风险大而引起的。说大风险是说交易费用高——如果没有任何执行借贷合约的费用，这种风险不会存在。

这里我们有一个重要的示范例子：要"收烂账"可说为风险大，也可说为交易费用高，但不可以二者皆说，因为是重复了。要解释高利贷及有关的行为，风险大与交易费高你选哪一项？我选交易费用而不选风险。这是因为风险既不易量度，也无法观察其转变。另一方面，交易费用是一种局限，原则上我们可以客观地衡量其转变。当然，如果交易费用有变，那所谓"风险"会跟着变，但我们若知前者，就不用再谈后者了。是的，数之不尽的"风险"问题是交易费用问题，而在解释行为上，以后者处理远胜。

问题是有些"风险"我们不容易以交易费用处理。例如，投资的回报是将来的事，将来的事今天不能肯定，所以有风险。这种不知未来的风险我们可以交易费用中的讯息费用来处理，但这比执行合约的费用困难得多。无论怎样说，有交易费用的选择，"风险"的采用可免则免。

费雪的利息理念，是不管通胀，不管风险，也不管交易费用。费雪之见，是世界如果完全没有这些因素，利息还是会存在的。这样的利息是指纯真的利息了。

第二节：利息的概念

费雪的利息概念不仅不管通胀，不管风险，不管交易费用，更重要的是不管货币。他认为一个没有货币的社会，物品换物品，利息还是存在的。利息的存在不需要有货币，但需要有市场。物品交换就是市场了。

你今天给我五个苹果，一年后要我还你六个，那多出的一个就是利息。这样的借贷可以有多种物品，或借苹果而归还金山橙。我们于是要以物品之间的相对价格来衡量，求出苹果与橙之间的一个可以共通的交换量度单位（numeraire）。说一个苹果值三，一个橙值二，三加二是五，就叫"五"是金钱的量度单位吧。费雪的利息理论不用货币，但要有市场，有相对价格，有一个替代货币的量度单位。

迫不及待与投资回报

费雪认为利息高于零，是正数，有两个原因。

其一是消费者不耐烦，急于享受，急于消费。他称之为 impatience to consume。这好比男人遇到自己心爱的女人，迫不及待，或一个影迷听到一部好电影上映，要先睹为快也。为什么一个人会不耐烦而急于享受呢？费雪的解释是人要先吃才可以活下去。将来才享受，可能已经一命呜呼，还是早点享受为佳也。

要优先享受，我们愿意出一个价，也是价高者得。这个优先享受之价，就是利息。是的，利息是一个价，不是物品之价，也不是时间之价，而是提早消费之价，优先享受之价是也。

是的，在落后之邦，民不聊生，生命短促，利息率会比较高。就是不管通胀或交易费用，穷人愿意付较高的利息，不是因为没有钱，而是因为前路茫茫，来日无多，于是愿意付出较高的早一点享受之价，虽然那享受可能微不足道。

费雪的第二个利息高于零的原因，是投资的机会（opportunity to invest）。投资是有回报的。你将一桶新酿的葡萄酒放在一个山洞内，过了几年，酒味醇了，价值的增加就是回报。你植树，植后完全不管，树还会自己生长，若干年后，成了木材有市值，是投资的回报。

在物品或资源（resource）缺乏的情况下，利息是提前享用或预先投资的价，跟任何价一样，是在市场竞争下决定的。这个价是因为时间有先后而起，而物品或资源的现值（present value）与期值（future value）之别就是利息。因为时间有长短之分，我们就以一个同期的利息率乘以现值来算出利息。

第三节：收入与财富

费雪的名言：收入是一连串的事件（Income is a series of events）。果树会结果，农地有收成，结果与收成都是收入。然而，这收入可不是在果熟或稻熟时才得到的。果树或农作物每天都在变，不停地变，而每一小变都是收入（或负收入），所以收入是一连串的事件了。是的，果树开花是收入，结子是收入，增长也是收入。收入的变动不一定天天一样，可以时高时低；也不一定是正数，可以有时增长，有时下降。

一个果园的果子长大及成熟都有价，是收入，但果园本身之价是永无止境的收入（包括果树再植的收入），减去成本，以利率折现而得的现值。如果一个人只拥有一个果园，其他什么资产也没有，这果园的现值就是这个人的财富（wealth）。收入是流动的，是川流，有时间性。财富是现值，本身没有时间，是静止的。

年金收入的概念

折现的办法是以未来的收入除以利率，但因为未来的收入有远近之分，高低不同，所以折现的方程式就有了变化。这些方程式任何有关的书本都可以找到，这里不列出来了。同样的收入，较远的现值比较低，较近的现值比较高，而财富是所有收入以利率折现后的现值加起来。

未来的收入不仅可以高低不平，而又不一定是永远不停的。这样，说一个人要争取最高的收入会模糊不清。但如果我们把所有未来或预期的收入以利率折现加起来而求得财富，再把这财富乘以利率，我们得到的是另一种收入，叫做年金收入（annuity income）。年金收入不一定是以"年"算的。只要财富不变及利率不变，年金收入就年年不变，或期期不变。年金收入只是个概念，但好用，因为争取最高年金收入与争取最高财富是相同的。原则上，财富是可以观察到的，所以用增加财富作为个人争取的目的，可取。弗里德曼（M. Friedman）一举成名的《消费函数理论》（*A Theory of the Consumption Function*）重视的固定或永久收入（permanent income）与我们这里说的"年金"收入相同。记着，年金收入与财富的比率是固定的，所以个人争取的是哪一种都一样。

弗里德曼大胜凯恩斯

这里有一个重要的话题。经济不景，凯恩斯学派主张政府大手花钱，因为会有本科生读过的增加国民收入的乘数效应，从而可救经济。然而，受到费雪的影响，芝加哥的弗里德曼认为该效应无关宏旨，因为市民的消费是由财富或固定（年金）收入决定的，而政府花钱只能增加过渡性或暂时性的收入（transitory income）。二〇〇八年美国出现的金融危机是难得一遇的验证机会。国民的财富大跌了，政府跟着大手花钱，两年过去，这花钱效果微不足道。弗老对，凯氏错。二〇一〇年八月二十四日我在《凯恩斯的无妄之灾》中写道：

金融危机出现后，关于凯氏思想的争议主要是乘数效应。认为这效应微不足道的芝加哥学派被迫到防守那边去。二〇〇九年萨缪尔森谢世，传媒的追悼文字比二〇〇六年弗里德曼谢世多出不少，反映着凯恩斯学派抬头。

美国政府要大手花钱一时间成为热门话题。管用吗? 众说纷纭, 支持的不敢说乘数效应是课本教的那么高。他们说一点五倍。芝加哥学派说多半会低于一, 其中一位说可能低于零。我当时怎样看呢? 认为该乘数无关宏旨, 因为政府花钱只能增加过渡性的收入, 救不了经济。

行内认为乘数效应甚微的主要原因是一个挤出理论: 政府花钱会把甲项产出转到乙项去。大家同意, 失业率愈高, 挤出效应愈小。我认为远为重要的是政府花钱只能增加过渡性的收入, 于事无补。后者是费雪与弗里德曼的学问了。

费雪指出, 财富是收入除以利率。这收入是年金收入 (annuity income), 是预期性的, 到了弗里德曼的消费函数就称做固定或永久收入 (permanent income), 也是预期性。消费是按财富或预期的固定收入来决定的。因此, 不管政府怎样花钱, 除非能增加国民的财富或增加国民的收入预期, 这种花钱救不了经济。我当时不看好, 因为金融危机导致美国的国民财富暴跌了。那里的一般市民的财富主要是自己住所的市值, 他们看着自己拥有的楼房之价来策划退休之计。上升了很多的楼价一下子暴跌——财富一下子暴跌——政府不容易以花钱的方法把国民的财富提升。别无选择, 政府要设法把国民的收入预期提升, 但美国的经济结构跟其他先进之邦差不多, 墨守成规得太久, 不容易有弹性地搞出变化。

利息是收入的全部

如果没有市场，利率不存在，财富也就不存在了。这是因为财富是收入以利率折现，而利率是一个市价。在没有财富的情况下，解释行为我们或可用"功用"数字来量度个人争取的目的，或用边际的收入转变。二者我喜欢用边际收入转变——因为"功用"是空中楼阁，可以不用我不用。

回头说财富乘以利率是（年金）收入，而倒转过来，这收入除以利率就是财富了。这个简单不过的方程式非常好用。例如，衡量投资，我们可以大略地估计这投资会带来的年金收入，除之以一个大约可靠的利率，求得现值的财富，跟着再与该投资的现值成本相比，就会得到一个大约的投资选择答案。不一定对，但知得快而又比较可靠。

财富乘以利率是（年金）收入，是一个重要的收入概念。另一方面，财富乘以利率是利息。于是，利息与收入相等。这就是费雪的有名格言：利息不是收入的局部，而是收入的全部。（Interest is not a part of income, but the whole of income.）费雪的格言甚多，尽皆精彩。

我们要深入一点地理解"利息是收入的全部"这句格言。一个人拥有一个果园，有房子，有知识，有劳力，有家庭，等等。如果所有资产都有市场的话，那么果园的收入，房子的租值（是收入），知识与劳力得来的薪酬（是收入），家庭的天伦之乐（也是收入），这些多项连串的收入，折现后加起来，就是这个人的财富；而这财富乘以利率，是他的年金收入，也是他的利息。（当然，天伦之乐一般没有市场，不能折现算进财富。）

资本的概念

资本（capital value）是资产（capital asset）的市值，像财富一样，是现值，也是收入以利率折现而得的。资本与财富的分别小得很。财富是所有收入的折现（income discounted），而资本是所有收入的折现减去现在一时的收入；这样，资本是将来收入的折现（future income discounted）。但"现在一时"可以看为很短，短得现在收入（present income）近于零。这样，资本与财富相同。

费雪的一个重要贡献，是把资本的概念一般化。费雪之见：凡是可以产生收入的都是资产，而收入折现后的现值是资本，也是资产的市价。土地是资产，劳力是资产，知识是资产，医生牌照是资产，相貌是资产，家庭是资产……这些都会带来收入，把收入以利率折现就是资本了。一个果园是资产，水果的产出所值是收入，收入以利率折现是资本，也是财富。

费雪一般性的资产与资本的概念，不仅与马克思的资本概念有很大的区别，而就是今天，跟经济学课本说的也往往不同。例如课本上提到的生产要素

（factors of production），往往是劳力归劳力，资产归资产。这是不对的，因为劳力也是资产。在课堂上我问学生：马耕田，马是资产还是劳力呢？学生或答不知，或有分歧。费雪之见，马是资产，因为可以增加收入。所有生产要素都是资产。那么作为生产要素，马应该称为什么呢？我的答案是：马就是马。是的，马是马，人是人，地是地，工具是工具，知识是知识，是不同的生产要素，皆资产也。（注：这里说的资产指 capital asset，是可以协助生产的要素，不是课本指的 capital 或 capital value。好些教材弄错了。作为生产要素的是资产，其市场价值是资本，前者是 capital asset，后者是 capital value。）

投资与储蓄

最后要介绍的是投资（investment）的概念，费雪范畴内的投资概念。投资是消费在时间上的权衡轻重（Investment is the balancing of consumption over time）。要明白这个概念，我们要回到收入的定义那里去。上文所述，收入是财富乘以利率，于是与利息相同。这个定义可从另一个角度看：收入是不削减财富的最高可能消费。（Income is potential consumption without trenching on wealth.）

举一个例。如果一个人的财富是一百万，年息率是八厘，他的收入是每年八万。要维持财富不变，这个人每年的最高可能消费是八万，与收入相同。然而，这个人第一年的最高可能消费是一百零八万（财富加一年的利息），但这样消费他的财富在明年会下降至零，再没有财富或收入了。另一方面，这个人一年的最低消费是零（宁死不消费也）——这样，过了一年，他（名下）的财富会增加到一百零八万。

上述的例子，不削减财富的最高可能消费（收入）是每年八万，但若消费只是六万，余下来的二万是储蓄（saving），而从增加以后消费的角度看，这二万是投资。储蓄与投资是同一回事，只是角度不同。

投资是放弃今天的消费来换取明天的消费。今天晚上你多读几页书（不赶着享受睡觉），将来的收入会增加一小点，是投资。你在后园用两个小时种菜（不看电影享受），是投资。明天有重要的工作，今天晚上早一点睡（不看电视了），也是投资。投资是权衡未来的消费轻重的行为。

你购买了一幅画挂到墙上，认为将来会升值。概念上，你可能一起做了两件事。一、你欣赏该画时，是消费；二、买价低于一个时期的收入但高于欣赏所值那部分，是储蓄或投资。如果买价高于一个时期的收入，你的财富是局部转移到画上去。当然，任何投资都可以血本无归，但那是意外的效果，不是意图。消费高于收入，是负储蓄，也是负投资，将来的财富与收入皆会下降。

第三章的第一节，我会指出凯恩斯传统的宏观分析对投资与储蓄的严重失误。挂画的例子会更为详尽地分析。

第四节： 收藏、消费、职业的选择

在利息理论的范畴内，消费的选择不是甲、乙物品而是时间的先后。同物品但不同时间，可以看为不同物品，因为先后是另一类不同的甲、乙物品的选择。早消费比迟消费来得贵，而这提早之"贵"是相当可观的。举一个例。如果市场的年息率是八厘，以复息算，今天的一元九年升一倍。要是你今天决定不请朋友吃晚餐，节省了一千元，十八年之后，你的财富会增加四千元。

复息的杀伤力

不要以为一些古物之价上升了很多倍就认为是好投资——虽然以中国为例，从二〇〇〇到二〇一〇年古物之价的上升幅度大有可观。一七七六年斯密发表的《国富论》，是经济学历史上最有名、最伟大的论著，后来震撼了西方整个学术界。一七七六年初版时该书是一点八英镑，二〇〇一年（二百二十五年后）的市价大约是十万英镑，上升了五万五千多倍。那是难得一遇的伟大论著的初版的难得一见的升值（后一版差很远）。你道以复息算，每年的回报率是多少？答案是 4.856 厘。从投资的角度看，这回报率算是不错，但从持久收藏的角度看，这回报率非常高，是难得一见的。且让我列出一些数字，好叫读者能体会一下时间的宝贵。

1776 年 £ 1.80 的 2001 年所值

年息率 （复息算）	2001 年所值	上升倍数
2%	£ 162	90 倍
4%	£ 14,586	8,103 倍
6%	£ 1,312,949	729,416 倍
8%	£ 118,187,944	65,659,969 倍

是的，二百二十五年前的一点八英镑的二〇〇一年所值，以年息率八厘复息算，是 1.18 多亿英镑，上升了六千五百多万倍！这可见，只为投资而收藏，不重视享受收藏品本身的消费（consumption）所值，除非时间巧合，不容易是一项好投资。斯密的《国富论》初版是经济学论著中长期收藏最好的投资，扣除通胀的实质复息年率约两厘。

不要误会，我不是说因为有利息的复算，收藏通常是亏本的投资。赚钱的例子是有的。一九九〇年收藏林风眠的画，二〇〇〇年算复息后会亏蚀；但一九九七年收藏，二〇〇一年出售，算上复息，会赚钱。一九八〇年收藏朱屺瞻的画，十多年后沽出，赚钱；

一九九〇年收藏，八年后沽出，亏本；一九九八年收藏，二〇〇一年沽出，赚钱。收藏品之价在时间上可以有大幅度波动，不容易看得准。但久藏的赚钱概率不会站在你那一边，因为复息的杀伤力甚大。

有时从长期看，一些艺术家的作品可以经得起时间复息的蹂躏，但另一些大名家就没有那样幸运了。一九五〇年你收藏梵高或塞尚的画，二〇一〇年算上复息也赚大钱，但雷诺就不成了。不是碰巧那么简单：有些专家看得相当准。我有两位朋友可以在收藏品的市场中，买卖而谋生计；不是开店经营的方法，而是在市场或拍卖行买卖赚钱。这些朋友要做很多研究调查的工作，赚钱是工作的收入。我佩服这种人的能耐。

大约从二〇〇〇到二〇一〇这十个年头，中国古书画或文物的回报率高到天上去，反映着一个大国有着史无先例的经济增长。我会在第四章分析财富累积的"仓库理论"时再回头说收藏。

消费图案的选择

纯从消费的角度看，依照费雪的理念，消费的早或迟是两种不同的物品，较早的比较迟的可取。这两种"时间"物品之间可以绘出一条等优曲线，也是内凸的，而其弧度代表着消费者个人的边际时间替换意图（marginal time preference rate）。物品是较早或较迟的选择，二者之间的市价就是市场的利率了。在均衡点上，边际时间替换意图与利率相等。

在消费与利息的关联上，费雪作了另一项重要贡献。他认为一个人从少年到老年，其消费的意向可有转变，而人与人之间的平生消费意欲图案（time shape）不一样。一些人像李太白，认为"天生我才必有用，千金散尽还复来"，于是"今朝有酒今朝醉，明日愁来明日忧"。这种人喜欢少壮时花天酒地，大享其乐，老来再作打算。另一些人却像齐白石，少壮时每分钱都要算得准，永不乱花，到老时家藏百万，单是石章的收藏就令外人羡慕了。再有一些人，在生命的消费上喜欢平平无奇，少年如是，老年如是。可能还有另一种人，费雪没有提及的，喜欢生命的消费享受如波似浪，上落上落，紧张刺激，时而豪奢，时而挨饥。

有了如上的几种人，他们会选怎样不同的职业呢？费雪的答案：选择整生收入最高的职业——如果不管不能用金钱量度的收入——准则只有一个，那是选财富（wealth）最高的。

消费图案与借贷市场

让我们假设非金钱的收入（non-pecuniary income）不存在，例如声望、名衔、受外人尊敬等不需要考虑。以一个聪明貌美的女孩子为例，她可选如下三项职业之一。一、她可选歌女生涯，卖歌兼卖笑。二、她可选做医生，花上十多年的时间求学读书，然后悬壶于市。三、她可选做文员，不求有功，但求无过，读书不用多。

歌女那项职业，年轻貌美时收入特别高，但年纪渐长，收入开始下降，到后来变得"门前冷落车马稀"。医生那项职业，求学之际收入是零或负数，跟着做见习医生，收入甚微，三十岁后，悬壶于市，顾客人数慢慢地增长，四十岁后，收入滚滚来。文员呢？收入终生平平，不过不失也。

费雪之见，是无论一个人对自己的平生消费意欲的图案是选走李太白的路，或是齐白石的路，或是平平稳稳，又或是上落上落，这个人的职业选择是不应该受到该职业的平生收入图案所影响的。这是因为有借贷市场，选择职业的人可以先使未来钱，先借用而后归还；又或是先借出去，或投资于什么长期债券上，到老来收入大有可观。

这样看，费雪得到一个重要的结论：只要选择收入折现后财富是最高的职业，然后在借贷市场调整，选择任何一种平生消费图案，这个人的平生消费都会是最高的。

回头说那位年轻貌美的女孩吧。选做歌女，但希望年老时才增加消费，她可在收入高时借出去，或作投资，老来有回报。选做医生，可先借钱作知识投资，到有可观的收入时才归还。以借贷市场调整，平生的消费图案要怎样就怎样，而只要收入折现后的财

49

富是最高的，消费图案怎样也是最高的消费水平。这解释了为什么作为假设，争取最高财富比争取最高收入好用得多。除非是指年金收入，其他收入时高时低，容易出错。

以上的分析有几个比较重要的含意，应该细说一下。

歌女生涯的阐释

（一）比较歌女与医生这两个选择吧。早期收入歌女的较高，医生的较低，而因为利息率是正数，同样的收入较早的折现后财富较高。要是歌女一生的总收入与医生的总收入相等，那么财富一定是歌女的较高，选择此职理所当然。（这里不管非金钱收入。）

要是作为医生的一辈子总收入较高，那么利率够低会使医生职业有较高的财富，而利率够高则会使歌女的财富高于医生的。那是说，如果医生的总收入是较高的话，有一个利率会使歌女与医生的财富相等。市场利率若高于此利率，歌女生涯可取；低于此利率，医生之职优胜。如果职业的投资有成本，那么减去成本我们还有一个使歌女与医生的财富相等的利率。这利率是费雪发明的，有个名堂，叫做"成本以上的回报率"（rate of return over cost），是作为两个投资选择的分界：市场利率高于此选甲，低于此选乙。

这解释了为什么在贫困之邦，卖笑的少女比较多。利率高，或借不到钱，来得早的高收入会有较高的财富，因而使平生的消费有较高的水平。多年前，台湾的娼业是合法的。后来改法例，娼业非法。改得容易，是因为经济增长有了成就，借贷市场的高息再不普遍，费雪的"成本以上的回报率"变为高于利率，年轻人的求学意向于是变得普及了。上世纪五十年代日本的经验也如是。

非金钱收入的处理

（二）非金钱的收入当然是重要的考虑。什么医生呀，教授呀等称呼，世俗之见，是比歌女、侍应等"高尚"：声誉本身是一种资产，有金钱或金钱以外的收入。亚洲人喜欢在名片上大做文章，介绍自己，把名衔印得花多眼乱。好些时，名片上的名衔其实不值钱，但很好看。在香港，你要在名片上印上自己是十间公司的董事长，所费无几，而你是不需要说谎的。这种我个人认为是无聊的行为其实大有道理：非金钱的收入也是收入，而有时可以利用"名片"赚得一点金钱甜头。

我自己也重视非金钱的收入，是另一种。现在我绞尽脑汁，尽可能把《经济解释》修改得好一点。但修得好一点收入不会增加。我抽着烟斗，以慢性自杀的方法来修，其投资可谓大矣。但我为的可不是金钱收入，而是要对自己有点交代，可以自傲一下，博取一点心安理得之快。这些也是非金钱的收入。

处理非金钱收入不容易，但有两种方法。老师阿尔钦（Alchian）喜欢以"功用"（utility）来量度（九十年代后期他似乎改变了主意）。功用理念的困难我谈过了，而功用是不可以折现而求得财富的。我个人喜欢用的方法比较简单，在卷一提及过：非金钱物品（non-pecuniary goods）可用金钱物品（pecuniary goods）替换，在边际上求得非金钱物品的金钱所值。不容易，但在边际上可以做到。非金钱物品虽然可以金钱物品替换，但不可以在市场成交。这样，好比父母对子女的爱，财富的量度不能算进去。解释行为我们只能从收入边际转变的角度入手。说得再清楚一点吧。没有市场不会有利率，没有利率算不出财富；父母的爱不能在市场成交，因而不能以财富量度，虽然那是非常重要的经济物品，在边际上可用金钱物品替换。

经济增长的一个谬误

（三）上世纪五十年代大行其道的经济发展学说，好些学者建议落后的国家若要有较快的经济增长，政府要鼓励高收入来得比较迟的行业，放弃高收入来得比较早的。不要急功近利，是当年经济发展学说的一个座右铭，说来是很好听的。

费雪之见，是急功近利如果能带来较高的财富，攻之为上也。这是因为财富较高，再投资会带来长期的较高总收入，而这是代表着较高的经济增长了。百多年前的美国，农地的保护（conservation）主义者有很大的声浪。这些保护英雄认为土地若不停地耕种，过了几年会用尽泥土中的养料，使农业将来的收入减少。可幸当年美国的农民没有听这些英雄的话，他们急功近利，增加财富，再投资。这是美国后来发达的一个原因。

第五节：收成的时间

假如你将一桶新榨的葡萄酒放进山洞内，让它变醇，你要等多久才拿出来应市呢？树是会长大的。植树者要在什么时间把树砍下来，把木材出售？

如果市价不变，酒与树的价值增长是先快而后转慢，达一顶点，之后就转为下降了。这增长的变动是边际性的。费雪称之为"内部回报率"（internal rate of return，简称"回报率"）。费雪的收成时间答案（Fisher Solution）是：要得到最高的财富，砍树收成的时间是回报率与市场利率相等。若木材之价与利率不变，那么今天植树，收成的时间今天决定或到时才决定都是一样。利率较高，收成的时间会较早。

浮士曼先拔头筹

这个显而易见的答案有争议，而最精彩的伏着是早在一八四九年一位德国林业家提出来的。这位专家的名字是浮士曼（M. Faustmann），其答案本来早已失传，但一位我后来认识的朋友（M. Gaffney，此君是半天才半怪人，甚有文采，极力主张亨利·乔治的单一税制，只抽地税，近于我们雍正皇帝曾经推行的"摊丁入亩"），不知从哪里找到了浮士曼的失传秘方，一九五七年在美国一个农林站以劣纸打字复印，出版一书介绍。这本不起眼的近于自制的书，被人弃于芝加哥大学的一个废物箱内，我的老师赫舒拉发当时在芝大，从废物箱拾起来，惊为天书，那浮士曼答案（Faustmann Solution）就成了名。

浮士曼答案与上文简述的费雪答案的主要区别，是费雪植树只植一次，收成一次，而浮士曼却是不断轮植，一次又一次地收成。这样，包括着利率的决定性，浮士曼的收成时间来得比较早，或每次植树的时间比较短，而更重要的是财富比费雪答案高。

浮士曼答案的分析复杂，一九六三年的春天我在赫舒拉发的课中见到，心想，那样复杂的分析，一般的业林者不可能明白，又怎可以用浮士曼答案来解释他们收成的时间呢？当然，依照阿尔钦的观点，适者生存可以解释业林者的行为，但我认为答案有好几方面。

假设不同答案有别

一九六三年在课堂上，我对赫师说，如果世界上有无限的林地，植树者无须轮植，要多植，找新地不简单吗？树要轮植，是因为土地有限，而土地若因为有限而缺乏，地的本身是有租值的。我于是问：为什么不简单地加上土地租值，得到的答案是否与那复杂的浮士曼答案相同呢？

赫师当时认为我问得好，但租值要到一九七六年萨缪尔森（P. Samuelson）分析浮士曼答案时才被提及。加上萨氏的分析，收成的时间选择就有更多的可能了。如下的选择是我得到前辈的启发——不尽同意——而想出来的。所有选择都假设收成时砍树及搬运没有费用。

（一）如果林地是无限的，而植树的投资成本（植树费用）是零，那么地租是零，树（木材）的市价也是零。木材于是予取予携，什么时间收成都没有分别。利率是无关的。以树的增长率做回报率没有意思，因为以其他物品作价，木材之价是零。

（二）如果林地无限，地租是零，但植树有费用，这样，费雪的答案是对的。既然地租是零，无须轮植。但因为有植树费用，木材有价，收成时间是树增长的回报率等于利率。在竞争下，因为没有地租，预期的收成折现后的财富会与植树费用的现值相等。

（三）如果林地有限（地租高于零），但植树没有费用，浮士曼的轮植答案是对的。地租是在竞争下，浮士曼的轮植所得的收入。转过来，只要在竞争下地租被市场决定了，植树者不需要懂得浮士曼的分析才知道收成的时间，因为收成不准时他们交不起租金。问题是，植树没有费用的浮士曼答案，收成的时间不一定比费雪的来得早。这是因为费雪的答案不可能没有植树费用。若费雪的有植树费用，没有地租，浮士曼的有地租，没有植树费用，那么收成谁早谁迟就要看地租与植树费用哪方面比较高了。

（四）如果林地有限（地租高于零），而植树有费用，那么浮士曼的轮植收成的时间会比费雪的为早。这是因为浮士曼多了地租。植树费用与地租的并存，回报率一定要较高才可以打个平手。这样，收成会提早了。

（五）如果林地有限（地租高于零），但没有植树费用而利息率又是零的话，收成的时间是树增长的平均回报率最高的那一点。这刚好是鲍尔丁（K. Boulding）提出来的有名答案（Boulding Solution），在五六十年代吵过好一阵。众人皆说鲍尔丁错了，这里我指出在某些局限条件下，鲍尔丁是对的。

上述可见，在收成时间的选择上，经济学者要不是忘记了地租，就是忽略了植树费用，或漠视了利息率。好些书本只顾利率而忽略了地租与植树费用。这样，木材在市场上一文不值，乱砍可也。另一方面，经济学者忽略了的，是在竞争下，地租愈高，或植树费用愈高，以其他物品作价，木材之价就愈高。树的增长回报率曲线，若乘之以木材市价，就会因为地租或植树费用的变动而变动——曲线会上升或下降。

乳猪的运情

读者若不明白以上的分析是不重要的。重要的只有一点：在资源缺乏的情况下，其他因素不变，利息率愈高收成的时间愈早。

在真实世界中，植树或酿酒往往要很长的时间，而在这时间内产品的市价与利率可能有很大的波动，所以上述的分析不可以墨守成规。若木材之价急升，树的收成会较早。但利率急升却有一个疑问。这是因为利率上升会导致新房屋的建造下降，木材之价会下跌，彼长此消，要提早还是推迟收成就很难说了。酿酒可没有这后者的困难：利率上升，虽然会削弱消费的意图，但因为喝酒只是消费的一小部分，早点把酒从山洞拿出来应市是上策。

其他因素的处理永远不容易。以经济理论解释行为或现象，我们要有多方面的考虑，因而对世界要知得很多。你拥有一个果园，利率急升，你不一定会提早收成。这是因为水果未熟时收成，你可能破产。要提前水果收成的时间，充其量你只有几天可以考虑。蔬菜是另一回事。提早收成的蔬菜，像乳猪一样，以每公斤算，其市价往往比成长后的为高。这解释了为什么在中国，上世纪八十年代实质利率高企之际，蔬菜小而美味，乳猪乳狗的菜式盛行。

第六节：分离定律

分离定律（Separation Theorem）也是费雪发明的，虽然这名称是后人所起。这定律的分析架构被广泛地引用到其他的分析上（例如对外贸易的分析）。

分离定律是说在有市场、交易费用够低的情况下，一个人的投资与消费可以分开来作决策。这与我们在前文提过的——投资是消费在时间上的权衡轻重——没有冲突。今天投资多了，明天的消费可以增加。然而，如果有借贷市场的存在，而又只有一个明确的利率，一个人可以借而投资，可以借而先消费，也可以贷款出去而后连本带息收回。

有单一利率的借贷市场，消费的均衡点是利率与个人的"边际时间替换意图"相等（见本章第四节），而投资的均衡是利率与回报率相等（见本章第五节）。这样，在整体的均衡上，边际替换等于利率等于回报率。重要的是，因为投资归投资，消费归消费，今天的投资与今天的消费可以完全没有关联。你可以尽倾所有投资于一个项目上，然后借钱来花天酒地一番。这就是分离定律。

还有两个重点需要补充。其一是在好几个经济学者曾经提出的衡量投资的准则中，只有一个永远对。那就是争取最高的财富。利率等于回报率是一个准则，但那只是必要但非充分的（necessary but not sufficient）。这是因为投资的回报曲线可能弯上弯落，有两个或以上的同样回报率。例如建造度假村，投资可大可小；从小加大，有多个选择，其回报曲线往往是波浪形的。有几个与利率相同的回报率的选择，首选是折现后财富最高的。

第二，若借贷市场有可观的交易费用，分离定律不容易成立。例如，借钱的利率若高于存款利率——这是一般的情况——投资者可能不愿意借钱消费。这样，投资与消费的决策就不能分离了。

第七节：结语

关于投资与利息的分析，好些是针对"怎么办？"，而我们这里分析的，主要是"为什么？"。后者是为解释行为或现象而问的。选出对解释"为什么"有帮助的不容易，但本章选出来了。

关于利息及有关的概念与理论，我选的大部分是费雪不改，而其他是从费雪的思想演变出来。百年难得一见的经济学天才，垄断是应该的吧。奇怪，费雪教书数十年，没有出过一个精彩的学生。一九六八年哈里·约翰逊（H. Johnson）对我说，费雪天分太高，学生怎样也跟不上，是以为难。余生也晚，不能拜费雪为师，是学问生命的不足吧。

我修改了费雪的《利息理论》（*The Theory of Interest*）里的一个概念。我选取了在他之后的收入是"可能"(potential）的消费，而否决了他所说的收入是"实际"(actual）的消费。要是我选"实际"消费为收入，其他的概念就加不起来。维护费雪的一些朋友，认为他说的是"可能"消费，但当年我读来读去也认为他说的是"实际"消费。同学不妨找费雪这名著的第一章细读，自己判断。

上世纪六十年代施蒂格勒、阿尔钦等人从讯息费用的角度解释失业。这角度应该对，但我认为他们摸不准，有套套逻辑的味道。讯息费用要放进哪里才对呢？这是大麻烦！我把它放进公司，再在公司的合约中放进以时间算工资的合约，放对了，对得非常对。一子对，整个失业难题变得豁然开朗，得到的多个假说不仅容易验证，支持的事实多得很。

第三章：宏观分析的失误

尽管我不同意，经济学有微观与宏观之分。微观是指价格理论，别无其他。传统上，价格理论分析资源使用与收入分配，其广阔度通常止于市场。起自凯恩斯的宏观经济学不是指国家或人口的广阔度，而是着重于传统微观分析少注意的项目，例如国民收入、政府债务、调控政策、失业话题等。有些题材，例如国际贸易，是微、宏二观皆涉及的。

二百多年前起自斯密的传统，资源使用属微观，收入分配属宏观，但他没有用上这些术语。凯恩斯重视失业与经济不景，宏观的范畴改变了。货币问题与商业周期的分析一般落在宏观的范围。上世纪六十年代兴起的新制度经济学，今天搞得不称意的，属微观。如果我们不管不称意的一面，回复到六十年代的看法，这门"新"学问了不起。当时新制度经济学的出发点是从局限转变的角度看世事——我是这样看——其分析牵涉到的局限变化远超传统的微观与宏观分析，原则上这发展可以圆满地处理这二"观"有所不逮的话题。可惜当年持有这看法的行内朋友不多，而后来还坚持下去的只有几个。博弈理论与无从观察的行为术语引进得太多，坏了大事。

我自己坚持的路向是清楚明确的，可惜不易走：真实世界的局限要调查得深入。范畴也清楚：理论主要是需求定律，把所有的局限转变阐释为价格或代价的转变，把所有约束竞争行为的安排处理为合约安排。这样，无论宏观、微观、货币观、政治法律观等话题皆可通过这范畴作分析。局限转变是真实世界的事，要有充分的掌握；需求定律要运用得老到。因为局限转变可以翻为价格或代价转变，这范畴属价格理论。不容易，局限转变的掌握往往是艰巨工程。可幸操作熟习了会容易一点。世事重复，经验可教，有解释力的经济学要讲年岁。

从来不用传统的宏观分析作推断，但回顾一九八一年起，自己写下的"宏观"推断可真不少；也有好些没有写下来，只是对朋友说了。比他家的推断较为准确吗？读者可自行判断。我不走传统宏观分析的路，因为我认为这分析有严重的失误。

凯恩斯——尤其是凯恩斯学派——对世事的解释力弱不是我首先提出的。上世纪六十年代不少学者注意到。当时他们要发展"微观基础的宏观经济学"，没有大成，可能因为"微观基础"掌握不足。局限的转变坐在办公室内不容易猜中；需求定律不是简单的学问——读者可参阅卷一《科学说需求》。

让我分点说说传统的宏观经济学的不足处吧。是当年的"宏观"，我没有跟进后来的发展。认识几位新宏观的主将，但没有跟进他们的学问。比我知得多的同学要看看本文提出的"宏观"失误是否还存在。

第一节：储蓄与投资不是两回事

凯恩斯及其学派把储蓄与投资看作两回事：前者是漏失或漏出（leakage），使消费减弱因而导致不景及失业；后者是注入（injection），因而增加经济活力。该理论说，一个经济的意图储蓄量与意图投资量在边际上相等是均衡点。这分析说，虽然可以观察到的储蓄与投资难分，但意图的可不一样，后者只能在均衡点上相等。

跟凯恩斯同期的费雪，在他的经典《利息理论》中，含意着的是储蓄与投资永远是同一回事，只是从不同的角度看，不分什么意图什么不意图。他没有言明，是我反复重读得到的结论。费前辈之见：收入消费后余下来的是储蓄；今天不消费改作明天才消费是投资。换言之，费雪的储蓄是今天看收入不消费余下来的，投资是今天余下来的用作明天的消费。二者是同一回事，只是时间的角度不同。因为投资一定要让时间走一程，利息于是出现。利息一方面是投资的回报，另一方面是提前消费之价。

油画与逃难的例子

弗里德曼曾经提出一个有趣的问题，不少朋友认为深。当时我接受了费雪，加上自己的阐释，认为浅。弗老问：一位仁兄花巨资购买了一幅油画挂在墙上，是消费呢，是储蓄呢，还是投资？我的答案三者皆是，只是消费那部分通常不大。油画挂在墙上，每次观看或让亲友欣赏是消费。原则上该画作可以租回来，付出的租金是消费。不租，自己买下来，挂在墙上，每天放弃了的租金收入，或放弃了的利息，是消费。余下来的画价所值既是储蓄，也是投资。储蓄与投资皆可赚可蚀，该画价的上升是投资或储蓄的回报。当然有机会亏蚀，但收藏艺术作品的人一律希望其价上升，或希望在通胀下保值，消费只是放弃了的利息。拥有该画作的物权带来的满足感有其所值吗？当然有，但任何储蓄或投资或多或少会带来类同的满足感。我认识一些朋友喜欢天天在家中算身家，或数着自己拥有的钞票为乐。这些行为也算是消费。

把钱存放在银行是储蓄，但也是投资，有利息的回报。银行一定要转贷出去给其他消费者或投资者才可以不亏蚀。银行不付息或负利率的情况出现过，但那是起于货币政策有所失误。把钱藏在家里，放在床底下，不用，称作贮藏（hoarding）。这是最接近凯恩斯学派的"漏失"概念。同样，我的母亲二战逃难时携带着一些黄金，不到危难之际不用。这样的行为是购买安全或购买保障，像上文的购买油画的仁兄那样，利息的放弃属购买保障的消费，贮而不用的属储蓄，也是投资。

不事产出的投资误导

一九六九年前弗里德曼告诉我，不少人奇怪地在家中贮藏着很多钞票。这种行为，如果只在今天的发展中国家出现，我会说贪污是原因。弗老当年说的是美国，那是四十多年前，不知今天这样的行为是否还普及。我不怀疑有些人不相信银行，有些人以数钞票为乐，但更可能的解释是四十多年前有钞票在手使用时最方便。

我认为凯恩斯及其学派把储蓄与投资作为两回事看，主要因为不同的投资对就业与物品产出往往有着很不相同的效果。购买土地是投资（也是储蓄），但如果购入土地的人不动土，只是持着土地等将来，对就业半点贡献也没有。很多投资（储蓄）事项对就业与产出的贡献不大，这些贡献的大、小分歧项项不同，可以有很大的变化，说之不尽。

引起混淆的关键似乎是：当经济不景，或前景不明朗，或有战乱的恐惧，很多人会避去投资于产出或增加就业的项目。他们会偏于转向不事产出物品的投资，因而减少工人就业的机会。自卫的行为可能被凯恩斯学派视作储蓄的意图增加，投资的意图减少。这看法不对，因为只是改变了投资（储蓄）的性质。另一方面，说"自卫"的行为会导致消费下降却没有错。从交易费用的角度看，前景不对头时较多的投资者会采取自卫行为，因而增加失业的看法是不大正确的。正确的看法，是因为交易费用的存在，投资于物品产出不容易脱身而拿回自己的投资。转向较为容易脱身回本的项目，对就业与国民收入皆不利。这可不是因为投资的意图下降了或储蓄的意图上升了。

我认为起自凯恩斯的宏观经济学是受到上述的误导而得到储蓄与投资不同的谬误。然而，当我说一个经济的前景大势甚佳时，人民会转向增加就业产出的投资，却不是一个有一般性的规律。二〇〇〇年起，中国的通缩终结，收藏品之价急升。是的，在北京的拍卖行拍出的古书画之价不少上升了逾百倍！这种收藏行为是物品产出为零的投资，我会在第四章深入解释。

如果本文解释的是对——意图储蓄量与意图投资量相等的均衡观点是错——整个宏观分析的理论架构会塌下来。我认为该均衡是一件皇帝的新衣，不知还要穿多久。

第二节：曲线交叉自欺欺人

前文说了宏观分析的一个基础失误，指出储蓄与投资——不管意图不意图——是同一回事。只这一点，传统的宏观分析难以挽救。还有其他严重失误。

自欺欺人的玩意不限于宏观分析，只是宏观比微观远为普及。让我拿出刀来剖析吧。

一九六七年的秋天我到芝加哥大学去，是大乡里出城。芝大当时名满天下，是经济学的少林寺。战战兢兢，我把自己作为学生看。两个月后，听到那里有一位明星学生讲述他的博士论文，好奇地去聆听。

经济学的均衡不是事实

小室坐着三四十人，讲题是分析某国的汇率波动，说到重点，讲者意气风发，说大幅的波动很快就找到均衡点，平静下来。我听得一头雾水，高声问："经济学的均衡是个概念，不是事实，真实世界没有经济学说的'均衡'这回事。到市场去大家见到市价有时多变有时少变，哪个现象算是均衡只有天晓得。我天天望出窗外，永远看不出外间的经济是均衡还是不均衡。你凭什么可以看得出呢？"

室内一时鸦雀无声，听众你看我，我看你。过了一阵，在座的经济数学大师 Hirofumi Uzawa 说："你说得对！经济学的均衡是数学方程式的事，我从来没有说过以数学算出来的均衡是描述真实世界的。你们不要被数学误导。"Uzawa 是日本人，当时行内举他为数学经济的第一把手。两年后他回到日本去。他说的几句话使我对自己的思想增加了信心。

经 济 学 的 均 衡（equilibrium） 与 不 均 衡

（disequilibrium）是从物理学借过来的。近于灾难性的误导，因为在物理学这术语是描述物体的动态，是事实，但经济学的均衡却是空中楼阁，是概念，真实世界不存在。经济理论中的曲线一般描述人的"意图"，不是事实，没有经济学者的想象这些曲线不会存在。今天流行的经济泡沫之说，是从"不稳定均衡"（unstable equilibrium）的概念变化出来，无从观察，也非事实。不是说股市不会暴跌，但我们无从判断那是不稳定均衡引发出来的泡沫。物理学家牛顿曾经在有名的"南海泡沫"（South Sea Bubble）的股市输身家。他说："我可以算出宇宙物体的运行，但算不出人类发神经。"股市暴跌是可以观察到的事实，但经济学的均衡或不均衡是无从观察的。

科斯当年也意识到均衡与不均衡带来的谬误。一九六九年的春天，从温哥华驾车到西雅图的途中，他向我提出经济学要取消"均衡"这个概念。我当时的回应，是这概念在经济学那么普及，取消不易，但我们可以另作阐释挽救。我说"均衡"可以阐释为有足够的局限界定因而可以推出被事实验证的假说，而"不均衡"是指局限界定不足，验证的假说推不出来。科斯当时对我这个"新"的"均衡"阐释很满意，说我有机会成为另一个马歇尔。是说笑吧。马氏的巨著是经济学二百年一见的贡献。

其实我的均衡观点不是那么新。早几年，写论文《佃农理论》时，每一步我尝试推出可以验证的假说，发觉推不出验证假说一般是因为局限的指定不足，而凡是有了足够的局限指定，皆合乎经济学说的均衡。达到均衡的理论不一定可以验证，还需要的是验证的变量真有其物，但不均衡的理论一定是无从验证的。当时跟老师阿尔钦研讨了几次，他同意我的看法。

可以被验证的假说是指有机会被事实推翻。我们是求被事实推翻但希望不会被推翻。也是在写《佃农理论》时，我发觉马歇尔提出的佃农均衡可以验证，但他的曲线交叉图表是有着一个应该消散却没有消散的"租值"（见《佃农理论》四十三页）。这使我后来想到一个用途极为重要的观点：凡是有应该消散而不消散的租值存在的分析，逻辑上一定错。这种错误分析在经济学上屡见不鲜，我的发现一般化后成为一项"绝技"，可以很快地判断理论的经济内容：没有应该消散的租值的分析不一定对，但有则一定错。这方面，我再花几年时间的思考所获，是一九七四发表的《价格管制理论》。巴泽尔把该文捧到天上去，可惜很不易读。

看不到则验不着。经济学的均衡分析中最大的一个麻烦，是"意图"之物看不到，在真实世界不存在，我们要怎样处理才能把抽象的均衡带到不抽象的验证呢？《经济解释》的前前后后有足够的示范。

马歇尔的剪刀误导

可能是马歇尔惹来的祸。这位经济学历史上最伟大的理论家，提出需求曲线与供应曲线二线相交的剪刀均衡理论，可没有指出这二线的剪刀交叉只是竞争的后果，不是解释行为的理由。在《科学说需求》中我写道：

百多年来，经济学者往往误解了物品市价的厘定。市价的厘定，绝对不是因为市场需求曲线与市场供应曲线相交。正相反，这市场二线相交，是因为数之不尽的需求者与供应者各自为战，那一大群自私自利的人，不约而同地争取自己的边际用值与市价相等，从而促成市场需求曲线与市场供应曲线相交之价。

这是严重的指责了。想想吧：需求曲线与供应曲线皆意图之物，真实世界不存在；这二线相交的均衡点是空中楼阁，真实世界也不存在；价格有管制而出现的"剩余"或"短缺"更无稽，不仅观察不到，简直不知所谓。我在《科学说需求》中对"短缺"有如下的评述：

价格被管制在市价之下，莫名其妙的"短缺"出现，不均衡，世界大乱矣！问题是人与人之间对任何物品的竞争，必定要解决。说"不均衡"，是说没有解决的办法。"不均衡"的意思，是指没有可以被事实验证的假说。什么"压力"云云，不可以压出一些假说来……"短缺"是因为经济学者的思想有所短缺而产生的。

这就是麻烦：整个需求曲线与供应曲线相交的均衡分析，在真实世界可以观察到的只是价格及其变动，其他皆属子虚乌有。至于"量"，我们见到的只是产量及成交量，意图的需求量与供应量是经济学者的想象，不是实物。然而，我们就是要用这样的"理论"来解释复杂无比的可以观察到的世事，成功的机会不可能只基于一些曲线的交叉。深入的曲线之内的阐释，概念的正确掌握，局限变化的慎重调查，等等，皆不可或缺。很不幸，宏观经济的分析一般漠视了这些应有的步骤，以曲线及方程式掩盖着我们看不到的局限变化与内容。

没有疑问，宏观分析的起点——意图储蓄曲线与意图投资曲线相交的均衡点——是从马歇尔的需求与供应曲线的剪刀交叉的均衡处理搬过来的。这不仅有着上文提到的马氏分析的不幸，更为头痛是我在上节指出的：储蓄与投资，不管意图不意图，是同一回事，只是角度看法不同。把储蓄与投资看作两回事是严重失误，无从挽救。

IS-LM 分析是悲剧

同样不幸是 John Hicks 与 Alvin Hansen 把这糊涂的分析基础带到近于名垂千古的 IS-LM 的均衡分析去。这分析一九六三年我考博士试时背得出来，今天内地的同学说他们还在背。自欺欺人怎可以欺那么久的？想来是因为 Hicks 与 Hansen 是大名家，穿起皇帝的新衣有其说服力。

IS 是一条意图投资与意图储蓄永远相等的曲线，即是二者在利率变动时永远达到均衡。在该线上是无数的投资等于储蓄的交叉，内地称为产品市场均衡曲线。LM 是一条货币的需求与供应永远均衡的曲线，利率变动该线上也是无数交叉。内地称为货币市场均衡曲线。IS 与 LM 二线相交，来一个大交叉，称一般均衡（这与 Walras 的一般均衡不同）。

因为投资与储蓄是同一回事，IS 曲线当然不能成立。LM 呢？货币何物与币量应该怎样算到今天还争议不休，而我在《货币战略论》一书内指出的几种不同的货币制度，LM 说的不知是哪一种。更为头痛是如果利率受到管制——今天某程度这管制近于无处无之——像马歇尔的曲线相交无从处理价格管制那样，IS-LM 的交代也是空空如也。马歇尔的"不均衡"困境我在《价格管制理论》一文中解决了。那是教怎样选取需要补加的局限条件。这补加使不均衡变作均衡，足以推出验证假说，因而可救。然而，IS-LM 的不均衡，逻辑上是不可能解决的。不均衡无从处理，均衡没有意思。是败局，无可救药！

经济学者就是喜欢以曲线交叉来解释世事。曲线画得出，方程式就写得出，可以巧妙，也可以美观。

然而，解释世事需要的，是可以用事实验证的含意，也即是说要推出有可能被事实推翻的假说。这方面，宏观分析的"短缺"令人尴尬。从事宏观分析的众君子就是喜欢把一些在真实世界不存在的意图曲线移来移去，这里一个交叉那里一个交叉，务求移到跟可以观察到的几个变量——例如利率、通胀率、失业率、国际贸易差额、国民收入增长、财政数据、货币量等——大致吻合，就算是解释了。

是事后孔明的"砌"作吧。九十年代中期，一位我认识的名家到香港大学讲话。他用的是理性预期理论（rational expectation，又是真实世界无从观察之物），解释当时美国的宏观经济。他把多条曲线移来移去，叉来叉去，提供的数据支持着他的结论。重点是基于美元在国际上强劲。他写文章时美元是强劲的，但到港大讲该文时美元转弱了三个月，不在他分析的数据的期间内。多加三个月他的整篇文章溃不成军！我指出，他无以为应。

第三节：漠视局限推断失灵

我喜欢独自思考，思想上喜欢事不关己，己不劳心。有时想到的跟前人有别，我会拿出刀来挥斩几下。这些日子，为了对炎黄子孙的一点关心，事不关己有时也拿出刀来。

宏观经济的分析历来是事不关己的。做学生时替一位宏观教授改试卷，每卷收一美元，不难赚，教授提供的答案是老生常谈，我不懂，争议太多不是赚卷费之道。跟着选修布鲁纳（Karl Brunner）教的研究院宏观经济学。布鲁纳是我认识的逻辑最严谨的经济学者。整个学期他只教一本刚出版的"宏观"名著开头的二十多页，批评得同学们天旋地转。我从布鲁纳学得的不是宏观经济，而是推理严谨的苛求。后来的博士试我无端端地考个第一。传为佳话的是作为其中一个考官的阿尔钦，竟然看出我的宏观方程式比变量多了一条！我在数学上的惊人"天赋"是从那时开始知名行内的（一笑）。

这里提出的对宏观经济学的批评，跟我做学生时老师教的没有多大关系。我是基于离开母校四十多年自己的寻寻觅觅，对均衡概念、租值消散、体制组织、交易费用等的掌握有了新的体会，然后回头看自己当年所学的内容，认为不少地方需要修改。四十多年来，找真实世界的例子做解释及验证的工作，我差不多天天做，提供了修改前人之见的基础。虽云一士谔谔，但心领神会，自觉舒畅，有点稼轩说的"恨古人不见"之感。

这些年不少同学要求我写一本关于宏观经济学的书，用以填补《经济解释》——他们认为后者是"微观"。我认为经济学不应该有微、宏二观之分，重点是能否解释世事。我也认为复杂的理论不管用，局限转变的调查是关键所在。局限可以简化，也需要简化，但不可以简化得与真实世界脱了节。凡是牵涉到局限转变的分析必定要从个人的选择出发，所以一律是价格理论的范畴。这就带到我要谈的宏观失误的第三点了。

我要举出三个我自己尝试过的、从局限转变的基础来推断"宏观"现象的例子。这类"宏观"性的推断的局限指定通常比市场现象需要指定的来得复杂。

推断中国会走的路

例子一。一九八一年我肯定地推断中国会走向市场经济的路，条件是我观察到的、刚刚开始出现的局限转变会继续下去。那是我写过的最详尽的关于交易费用局限转变的文章，以理论分析这转变的第三节长达二十一页（见《张五常英语论文选》六二九至六五〇页）。简言之，我把广泛的交易费用一分为二：制度运作的费用与改革制度的费用。看清楚了这两项费用的相对转变大势，我推断中国会走向市场经济。这是比一般的宏观现象更为"宏观"的了。

当年文稿寄给朋友，反对这推断的无数：舒尔茨来信谴责，说经济学不能作这种推断；贝克尔直说我错；弗里德曼说我是世界上最乐观的人。只有科斯不骂，但他要到三十多年后才把该推断理论捧到天上去。因为反对的朋友太多，该文延迟了一年才发表。鼓励我发表的是巴泽尔：他不同意我的推断，说是妙想天开，但他认为那写理论的第三节是天才之笔，半点瑕疵也看不到，不发表可惜。这理论今天还没有受到重视，反映着行内的朋友一般对交易费用的局限转变的分析没有兴趣。

这例子可教同学的是：经济学的推断或推测永远是假说，要指定验证条件（test condition），而上文提到的交易费用的局限转变就是验证条件了。一定要可以观察到，而又要假设这转变会继续，不会一下子倒转过来。指定了的局限转变，若再变要作别论。我当时认为中国面对的交易费用转变的走势是相当稳定的，但不是说没有机会再变。科学上的推断要基于验证条件的稳定性。

推断地球一体化

例子二。一九九一年苏联解体，该年十二月在瑞典与弗里德曼相聚，我对他说地球将会有超过二十亿的穷人参与国际产出竞争，如果先进之邦不改革他们的经济结构——例如福利制度、工会权力、劳工规例等不利于国际竞争的约束——将会遇到很大的麻烦。今天回顾，这推断没有错，但不算推得精确。当时困扰着我的是先进之邦有乐观的一面：国际廉价劳力的供应急升，可以赚大钱的，理论上是有资产与有知识的人，所以原则上先进之邦是有大利可图的。是的，原则上，就是先进之邦的穷人也会因为穷国的兴起及参与国际竞争而获利。

这里牵涉到的又是交易费用的问题。有多种交易费用可以严重地妨碍先进之邦在地球一体化的大转变中获得他们应得的甜头，而这些交易费用的结构显然非常复杂。尤其是那极为重要的讯息费用有多方面，深入的调查与衡量总要花上几年功夫。我没有作这调查，但深信，如果当时全面地考虑重要而又有关的交易费用，我会对今天的国际情况推断得大为可观。

同学们想想吧。中国开放改革后约十年苏联解体，带动了东欧、印度、越南等地区抢着开放，参与国际竞争的贫困人口史无先例地暴升，代表着一项极为重要的局限转变。这转变明确而肯定，一九九一年看走回头路的可能是零。是那么重要的一项局限转变，摆在眼前，是很大的一个人类前途的局限，也是宏得无可再宏的宏观。然而，如果要以之推断二十年后的国际形势将会怎样，研究上我们还要经过千山万水，还有很多局限约束——尤其是交易费用的约束——需要考查，就是马虎地猜测一下也不容易。令人尴尬的是：国际竞争的廉价劳力暴升，明确而重要，先进之邦的经济大师们怎可以视若无睹呢？

这例子可教同学的是：不愿意下重本考查交易（包括讯息）费用的局限，或猜测错了，不能说经济理论没有用场，只是使用时成本太高罢了。宏观分析的困难，不仅比较微妙的交易费用的转变没有顾及，就是有震撼性的劳力局限转变，这门学问也懒得管。

推断香港前途

例子三。一九九六年底我推断香港会有十年以上的经济不景，说明与九七回归无关，理由是看清楚了内地与香港之间的相对工资的结构局限转变，肯定的。当时，一方面我看到内地青年的知识增长非常快，比大家事前想象的快很多，那里的优质学生开始明显地比香港的优质学生胜了一筹，但工资只有香港的四至五分之一。另一方面，因为香港公务员的工资高，难以大幅下调，因而增加了市场的其他工资下调的顽固性。跟着是香港的综援福利急升，我推断香港历来徘徊于百分之二左右的失业率会上升至百分之八（后来最高达百分之八点六）。

香港不景的推断只应验了约八年，没有十多年，因为二○○四年内地推出自由行，跟着是放宽内地人到香港投资。二○一○年内地与香港的优质青年的工资差距收窄到大约一与三之比，香港的难关其实未过。

这例子教的，是预测不到的局限转变（例如自由行与内资进港），会影响推断的准确性，时间长短的推断因而是大麻烦。推断十年以上的不景，准了约八年，不太差，但如果内地不大手帮一把，十年会是太短了。原则上内地协助香港对自己有利，早就应该这样做。然而，外汇外流的恐惧是故老相传的成见，这种局限的变动不是无从推断，而是牵涉到远为复杂的交易（政治）费用的局限，考查的成本是太高了。

说香港今天难关未过，我可以容易地指出一个近于灾难性的可能发展。如果香港推出最低工资——二〇一〇年看事在必行——不需要是很高的"最低"，只要是广泛地影响着最低层的工资水平，那么一旦内地取消进口税，或把深圳改为自由港，我的推断是香港的经济会出现一个难以解救的困局：自由行会倒转过来，香港的商店租金会跌得头破血流，牵一发而动全身，全面的效果如何不好写下去。从国家利益的角度看，内地撤销进口关税也是早就应该做的。说足以为大祸的最低工资不需要很高，因为只要下头的工资被"托"住，上头的有需要时难以下调！

推断失灵的原因

多年以来，类似的大大小小的推断，属"宏观"的，我作过多次。一位朋友说他算过，二十六次全中。其实大部分不是真的全中，只是中主要的一部分，因为跟着而来的局限转变我事前没有算进去。那些是想三几天就动笔的专栏推断文章，没有像三十年前我想了近两年才动笔推断中国会走的路那么慎重。另一方面，政治上的局限我是门外汉，通常是经济考查的大难题。例如二〇〇七年前我真的意料不到北京会推出新《劳动合同法》，推出把我弄得手忙脚乱。我怎会意料不到呢？因为在我熟知的地区竞争制度下，价格管制难以推出：对地区的竞争不利，地区政府会一致反对。工资管制也是价格管制。我料不到新劳动法的推出可以完全不征求地区政府的意见，因为北京上头历来有这样的咨询。政治的局限真的不容易掌握。

回头说传统的宏观经济分析的失误，本文要指出的重点，是这分析牵涉到的局限转变是很表面性的，例如物价、工资、利率、政府财政、货币政策等。不是说这些局限变量不重要，而是宏观分析历来不深入地调查这些变化的底因局限。尤其是，在那重要的交易费用（应该广泛地看为社会或制度费用）的考查上，传统的宏观分析历来交白卷。解释世事，交易费用的重要毋庸细说。然而，当我们能成功地把交易费用局限的转变翻为价格或代价转变时，用上的选择理论（theory of choice）永远是价格理论（theory of price）——莫名其妙地被称为"微观"。

没有谁不同意，宏观分析也是以个人在局限下作选择为基础，然后加起来而"宏"之。问题是如果个人选择的局限指定不足够——尤其是漠视了交易费用——加起来的"宏观"对现象的解释力令人尴尬。我有这样的意识：传统的微观是暗地里假设交易费用不存在；传统的宏观是暗地里假设交易费用存在，但不管是些什么！正面而又明确地引进交易费用，微、宏二观的分别不会存在。原则上，上世纪六十年代兴起的所谓"新制度经济学"是走这"正面而又明确"的路，但走歪了，歪得离奇，无从验证的博弈游戏与不知何物的术语把整个本来是有希望的发展破坏了。

第四节： 失业要从公司看

失业是宏观经济分析的主题，绝对是。起自凯恩斯的宏观经济学（macroeconomics），是上世纪三十年代的经济大萧条促成的。失业人多是大麻烦，因为会导致社会不安定。什么是失业不容易下定义：任何人不怕工作粗贱，或愿意接受低工资，不可能找不到工作。何谓失业今天经济学行内还有争议，还有些有分量的学者认为没有失业这回事。不能否认的，是所有国家的政府都有失业率的统计，公布的数字大致上是跟经济增长反方向走。不同的政府可以有不同的失业统计方法，其衡量跟经济学者的意识往往有出入。

我接受的失业定义，是一个可以工作的人找不到他愿意接受的薪酬或待遇的工作。这个人可以在街头做小贩，是就业，但他见到一些本领跟自己相若的打工朋友，收入比他高，于是希望能找到收入相近的工作，但找不到。尝试找工作但找不到是失业的定义，但骑牛搵马不算，政府的统计也不会算。一个人打工，被解雇了，找不到他愿意接受的薪酬的工作，继续找，是失业，多半会被政府的统计算进去。原则上这样的失业是不会持久的。人总要吃才能活下去。可转做街头小贩不论，任何人，只要愿意接受够低的工资，总会找到工作。我将在《制度的选择》指出种种原因，解释为何不愿意接受，因而失业持续。这就带到我要批评宏观经济分析的第四点。

没有公司组织，失业不会出现

人类在地球存在了逾万年，有可观的文化五千年，然而，失业成为一个严重的社会话题，只不过是一百年来的事。中国是个古文化，人口数量历来冠天下，但失业成为话题只是上世纪九十年代起才听到。要不是未富先骄，二〇〇八年从西方引进新劳动法，之前中国的失业率最高约百分之四（国企改革工人下岗不论）。这数字，西方的先进之邦不会认为是需要关心的失业情况。

在一个以家庭为产出单位的国度，物品的产出主要是农产品及手工艺品，士、农、工、商皆有所业，失业是不存在的。其实家庭也是一种公司组织，只是少有甚至没有今天大家知道的工资合约这种安排。下文可见，没有工资合约是不会有失业的。讲深一层，失业的出现不是因为有工资合约，而是因这些合约中比较普及的，是以时间算工资。

十八世纪初期的欧洲，尤其是英国，工厂（factory）开始出现，逐步普及，替代了销售商判给家庭产出为主的 putting out 制度。跟着的"工业革命"有好几种阐释，最重要是雇用员工的大工厂变得时尚。有两个原因。其一是纺织机有了两大发明，此机庞大，成本不轻，但操作快。这样的机械是不宜用于家庭的。其二是分工合作的个人专业产出，可使整体的产量暴升。一组人集中在一起的流水式操作可使每人的平均产量上升多倍。这现象启发了斯密，他以造针工厂的实例起笔，写成了划时代的《国富论》。那是一七七六年。

一九三七年，年轻的科斯发表《公司的本质》——工厂属公司组织——提出公司是市场的替代之说。他说因为有交易费用，好些产出活动没有市价指引，应该产出什么及怎样产出于是不能依靠市场的无形之手，公司之内的产出活动是由有形之手指导及监管的。那是经济思想史上第一篇以交易费用为核心的文章。

一九八三年我发表《公司的合约本质》，指出公司替代市场之说不对，正确的看法是一种合约替代了另一种。该文以实地调查香港工业的件工合约为出发点。工厂工人的薪酬以个人产出的件数算，每件之价可以看为市价，而如果整间工厂公司的所有产出活动皆以件数算工资，老板只是中间人，"公司"与"市场"明显地是同一回事。我再指出，真实世界的产出运作，是不同机构之间互相外判，互相连接，产出合约的网络可以广阔地串连着整个经济，所以除了财政、债务有清楚的个别界定，我们无从把不同的"公司"的产出活动个别划分。这观点就是后来行内出现的"公司无界说"的根源，我没有跟进。然而，拙作含意着的一个要点，是市场就是市场，其中有多种不同的合约安排，但没有产品市场与生产要素市场之分。这推翻了传统经济学的分析架构，牵涉到的含意重要而广泛，我将在《制度的选择》更为详尽地处理。

件工与分红皆没有失业

回头说失业，上文提到的"公司无界"与"市场一也"，皆与失业有关联，但复杂，要用一本书处理。简言之，从公司合约的角度看，说一个可以工作的人失业，是说他一时间找不到他愿意接受的公司伙伴合约。这可以是大麻烦，因为上文提及的、参与"公司"的分工合作，个人的收入往往远高于个人独自产出的收入。如果一个经济没有失业，分工合作的公司安排达到了一个均衡点，个人的独自为战（例如做街头小贩）的收入会跟同样本领的人参与公司合作的收入差不多。但如果失业率上升，参与独自产出的人口增加，他们的人均收入会下降（以街头小贩为例，其数目上升小贩的收入会下降得快）。这会导致独自产出的收入低于参与公司的收入，市场的运作早晚会把参与公司的收入拉下去。这里的含意是，失业率愈高，再增加失业的一个百分点对社会的损害愈大。

现在让我们转到公司的合约本质对失业的影响吧。件工合约是不容易甚至不会出现失业的。从最简单了当的件工看，那只不过是产品市场通过老板作为中间人。经济不景，产品之价下降，件工工人的收入跟着下降，无怨可言，等经济回升吧。我当年调查所得，一家工厂收到的订单下降，或买家要求制造新产品，老板上头通常跟工人洽商件工之价。怎会有失业呢？工人知道订单不足，或件价下降，不转工就要认命，要等待经济的好转。

以奖金、佣金或分红等作为工资的一个重要部分的合约也不容易出现失业，因为这些有自动调整工资的弹性。上世纪七十年代，日本是分红合约最普及的国家，公司员工分红之巨，每年是国际新闻。当日本的经济在八十年代后期开始急速下降时，失业率不变，只是公司员工的分红跌得厉害。过了十年八载那里的分红跌至近于零，不知今天怎样了。

时间工资是问题所在

无可置疑，失业的大量出现，以时间算工资的普及是基本的困难。我曾经指出，过于琐碎的工作，或产品件件不同，或质量的要求高于行内的竞争者，或多人合作但不能明确地分开个别的贡献，等等，件工合约会因为量度费用（也是交易费用）过高而不能采用。量度时间的费用低，时间是长是短不会有争议，于是相当普及地被采用了。问题是，雇用员工的老板是为了赚钱，不是寻花问柳，员工出售给他的时间本身没有价值。老板要的是员工的时间可以产出什么。换言之，时间的本身不是产品，只是一个"委托"之量，即是说产量的多少被委托于时间的量度算价，而此价就是时间工资了。

我将在《制度的选择》里提出一个重要的"履行定律"。这定律说，凡是被量度算价的"量"，其履行的监管费用低；没有被量度算价的"量"，其履行的监管费用高。这是说，以时间算工资，老板不用担心员工不履行上班的时间，但工作的产出为何则不能不监管了。这监管无可避免地带来主人与奴隶关系的形象，剥削工人之说不胫而走。如果天下所有劳工合约皆以件工算工资，马克思不可能想出"剩余价值"。

再回头说失业，为什么以时间算工资的合约那么容易导致失业呢？答案是这种合约不直接量度员工的产出贡献。被量度而算工资的时间只是产出贡献的委托之量，不是贡献的本身。经济不景，或一间公司的生意失利，老板要减时间工资，不容易说服员工他们的产出贡献所值是下降了。尤其是，同样时间工资的员工的本领性质各各不同，工资相同不一定代表着判断失误，但一旦经济或市场的情况不利，员工之间的不同性质的本领的市值可能改变了。老板要怎样处理才对呢？讯息费用存在，把时间工资一律下调，或这里减那里加，不容易有说服力。余下来的办法是选择性地解雇一部分员工。

工会运作蚕食租值

更麻烦的是，因为以时间算工资不是直接量度公司里每个员工的产出贡献，他们的时间究竟值多少钱一般是有着可以争议的空间。这空间的存在鼓励利益团体或分子浑水摸鱼，要求政府推行最低工资，或推出劳动法例，或组织工会，或要求集体协商工资，或以罢工的行为做谈判工具。

我曾经几次解释过，一间有名牌宝号的公司，作了可观的设备投资，或在研发上有成，又或者经营运作有过人之处——这样的机构有可观的租值存在，不是工资提升十多个百分点就关门大吉的。这种公司或机构是一个经济发展的命脉所在。增加租值所有公司皆梦寐以求。如果公司发行股票上市，长远一点看，其股价的升降必定反映这公司的租值升降。然而，因为时间工资只是一个委托之量的价，此价也，可以争议，得到上述的利益团体的"协助"，公司的租值可以被蚕食。美国的通用汽车公司曾经是地球上最成功最庞大的制造工厂，曾经拥有的巨大租值上世纪八十年代被蚕食至零！租值这个重要概念我会在第五章详尽解释。

以件工合约算工资是不容易蚕食租值的——原则上不可能。这是因为件工之价是明显的产品市价，左右这个价是明显的价格管制，市场的消费者看得清楚，容易反对，利益团体不容易浑水摸鱼。事实上，工会反对件工合约由来已久，何况这种合约与过高的以时间算的最低工资有冲突。上世纪三十年代，美国在工会的大力反对下，政府以法例禁止件工合约！

福利经济也会明显地增加失业人数的。不工作可以有政府的援助，工作则没有，怎会不鼓励"失业"呢？英国在上世纪二十年代的失业率高企，七十年代一篇研究详尽的文章指出那里的福利急升是关键。回归中国前的香港，失业率徘徊于百分之二左右，后来政府综援急升，失业率上升了不止一倍。

重要的支持实例

上述的失业解释，尤其是以公司合约的分析作解释，有明确的事实支持。两个有震撼性的例子重要。其一是九十年代的中国。那时中国从百分之二十以上的通胀率急速地下降至百分之三强的通缩率——如果算进当时的产品质量急升，通缩率会高于百分之十。楼房之价下跌了四分之三。这样急剧地从高通胀转为高通缩，传统的宏观分析说失业率一定飙升。但中国没有。增长率保八（今天回顾是低估了），失业率的提升不到一个百分点（也应该没有算国企下岗工人）。究其因，是中国当时的最低工资若有若无，而更重要是政府不左右劳工合约的自由选择。如果二〇〇八年的新劳动法在九十年代推出，中国不可能有今天的形势。不能否认当时开始形成的县际竞争制度有助，但二〇〇八年大家可见，县际竞争斗不过不容许合约自由的新《劳动合同法》。

第二个有震撼性的例子是不幸的。二〇〇八年西方的金融危机事发，失业率急升，先进之邦怎样花钱救市，六年后也减不了多少他们的失业率。福利不论，二〇〇九年七月美国提升最低工资约百分之十是帮倒忙，而更重要的是先进之邦的经济结构是明显地违反了公司合约的自由选择。左右公司合约的政治结构僵化了，是他们的失业率持久高企的原因。

源自凯恩斯的宏观经济分析，认为失业起于消费需求不足，是肤浅的表面思维，而该学派主张政府花钱挽救失业，是错上错。从解释失业的角度衡量，这里提出的公司合约理论胜出八千里路云和月。在卷四我会较为详尽地再分析失业。

第五节：国民收入的谬误

"国民收入账目"（national income account）是宏观经济的第一课。公认是最沉闷的经济学题材。当年同学之间没有一个有兴趣，可幸大家知道老师不会在这方面出试题。国民收入账目是教政府怎样统计几种不同的国民总收入，国际贸易怎样入账，税收及政府财政怎样算，等等。闷得怕人，当年我无法集中五分钟。

这里要说的是比较有趣的有关话题。国民收入账目用政府的统计方法，没有多少经济内容，如果我们以经济学的概念来衡量这些统计数字，会发觉不少地方跟经济理论是合不来的。不幸是"宏观"以这些数字来论经济。

日本的例子

国民收入的统计是为了大概地衡量生活水平。一国之内，这些统计数字的变动误导成分不高，但国与国之间的比较是另一回事了。

二○一○年八月报道说，中国的总国民收入开始超越日本的，意思是说刚刚超过。这是以美元算。以实质总国民收入算，我认为早就超过，而且超过很多。中国的人口是日本的十倍，土地三十多倍，好用的土地约二十倍。以美元算，中国的总国民收入要超越日本十倍恐怕是很久的将来的事，但以实质算超越十倍不应该困难。日本的物价比中国高出很多，而日元在国际上奇强，这样与中国相比日本人的实质收入是高估了。中国与日本的实质收入差别要怎样调校才对不是浅学问，是我要说的题外话了。

要说的是比较有趣的三点。其一，我认为日元在国际上强劲是政治压力使然，早期有外来的压力，后期日本人出外投资者众，保持日元的强势有助。国际上有些专家认为日元持久地有强势是因为技术上政府难以减弱。这不对。日本的经济不振是上世纪八十年代开始的。二○○一年在旧金山跟弗里德曼谈到日本，他关心，说那里的货币供应量推不上去，日元过于强劲，是以为难。我认为一只弱币要增强可能不容易，但强币要转弱则易如反掌。大手增加货币的供应量，导致可以接受的百分之五左右的通胀率，日元的

92

国际汇率会因此增而下跌，何难之有哉？弗老当时指出日本的国会不通过可以大手增加货币供应量的方法。二○一○年九月日本某政要说要用直接干预的手法来压制日元的强势，是一种政治言论。一个国家的国际币值弱，要加强可能要推行外汇管制，或要有足够的外汇储备购回自己的货币。但货币在国际上有强势是另一回事，要调校转弱是容易的。一只货币的弱势与强势的调校困难是不对称的。

购买力平价说是蠢理论

第二点。国际上的言论，老是喜欢把国与国之间的国民收入相比。不是以实质收入算。通常以美元算。这种比较源自经济学上的 Purchasing Power Parity Theory（中译"购买力平价说"）。此说也，指同样的币值，在不同国家其购买力会相同。这里牵涉到的一方面是深学问，说来话长，这里不说；另一方面是浅学问，只几句就说完了。说浅的吧。浅的有两个看法，读者选哪一个都"对"！第一个看法，是阿尔钦提出的："购买力平价说"是套套逻辑，永远对，因为不可能错。这是说，无论国与国之间有没有汇率管制，或关税各各不同，或有多种贸易约束——在这些及其他局限下，物价不同只不过是反映着局限不同，非不"平"也。扣除这些局限物价会相同；加进局限，物价因而不同，不能说 parity 不保，所以购买力平价说是套套逻辑，非理论也。阿师之见当然对。

好比你走进内地的机场喝一杯咖啡，其价比机场外高五倍，局限不同，价因而有别，你可以不喝，何不平之有哉？另一个看法是以一只货币算物价，漠视局限，国际相比，同价但实质的享用不同，或享用相同但物价不同，所以不平也。这看法当然也对。怎样也不对的是 Purchasing Power Parity Theory，因为根本不是"理论"，也没有说明是哪个看法，属无家可归之类。蒙代尔的弟子（R. Dornbusch）曾经大书特书，萨缪尔森大赞特赞。不知是套套逻辑而试行以之解释世事是令人尴尬的。

中国与日本的财富比较

第三点也有趣。为写此节，我挂个电话给一位对日本楼房市价有认识的朋友，得到的二〇一〇年中期的资料是：日本城市与中国城市的楼房市价，以美元算，大致相同，奇怪地近于完全一样。不是历来一样，而是二〇一〇年报道的、中国的总国民收入与日本的打平之际，大家的楼房之价一样。是以每平方面积算价的。我们知道在这时期中国的高楼大厦林立，多得惊人，而中国的土地面积比日本的大很多。这样，以房地产的总值算财富，中国比日本高出很多是没有疑问的，虽然高出多少倍我手头上没有资料——若有资料，为这倍数作大约的估计不困难。房地产的财富中国比日本高出那么多，总国民收入怎会是刚好打平的？

房地产的市值是任何国家的财富的一个重要部分，而对日本与中国来说无疑是最重要的一部分。财富是收入以利率折现所得，而收入是将来的收入，无可避免地牵涉到大家看不到的预期。无从观察的预期是经济分析的大麻烦，我们只能从看得到的局限转变衡量。二〇一〇年，中国内地的住宅租金的每年回报率只约楼房之价的百分之二，非住宅约百分之五强，皆低于百分之六以上的银行借贷利率。这显示着中国的预期收入或通胀或二者的合并会上升。这预期上升，加上经济稳定，外资涌进中国不难理解，可能是内地楼价政府总是打不死的一个原因。

当然，楼房之价可以暴升暴跌。这些大幅的波动可能起自牛群直觉的乱闯，也可能起自财富累积的仓库选择有转移。愿赌服输，历史的经验说这二者对经济为害不大，主要是市场把财富再分配一下。然而，这暴升暴跌也可能起自政府的政策失误，或像二〇〇八年美国发生的不幸，金融市场的合约隐瞒着一个大骗局。源自这后二者的楼房之价暴跌对经济会是为害不小的。

人杰地灵也不幸

转看美国吧。二〇〇三年美国的楼房市价高出中国的不止一倍，但二〇一〇年可能不及中国的一半。从楼房之价看财富，中国与美国之间的比对出现了大变动。然而，作这种比较，美国与日本的局限在两方面很不相同。其一是美国的房地产不是他们最主要的财富。美国的主要财富是知识与科技资产的所值。论科技知识日本也了不起，二○一○年看中国还是远远地落后了。这里我要指出的，是美国的房地产之价大幅下降，代表着的财富下降是上述的不幸的那一类，对他们的国民收入增长有不容易解决的麻烦。然而，从富裕的比较上，因为美国的知识财富了不起，他们在国际上的优势还会持续。

第二方面，美国不仅地大物博，人口不及中国的四分之一，以地大而言他们的居住环境可能冠于地球。这样，无论他们的楼房之价怎样下跌，在人均的楼房实质享用上，日本与中国是永远不及美国的。从国际的局面看，楼房的享用收入一般是在总收入享用的四分之一以上。这样衡量，以人均的实质收入算，中国要超越美国是遥遥无期了。

"宏观"的国际经济比较难以衡量。就是假设美国的地价下降到零，含意着楼房之价再下跌，但那重要的人均楼房享用依旧，实质上远超日本及中国的。问题是国民的财富下降了，那里的市民采用防守策略，对经济的增长不利。

当二○○八年雷曼兄弟事发，金融危机震撼地球，我立刻说美国的资源依旧——房地产与知识资产皆依旧——还是人杰地灵也。单以资源论前景，这前景没有变。问题是资源的所值是通过市场来厘定的。

金融市场出现了问题，是人为之祸，原则上可用人为的方法修正，收复失地指日可待。传统上这种修正属宏观的范畴，但我们看不到这门学问作出了什么贡献。是宏观经济学的大考，打个零分的教授恐怕不少吧。

国民收入漠视伊甸园

最后让我转到《圣经》说的伊甸园的例子。那里除了禁果不能吃，其他应有尽有，享之无尽。伊甸园之内没有财富，也没有缺乏，因而没有价，没有钱，传统的国民收入谈不上。亚当与夏娃享受着的全部是消费者盈余（consumer's surplus）。我们在上文提到的实质收入是价格调整后的收入，在伊甸园不存在，但说到实质享用消费者盈余要算进去。原则上这盈余是可以量度的，但国民收入一般没有算进。

回头看上文提到的美国房地产的例子，跟中国相比远为容易接近一个伊甸园。假设他们的地价下降至零，他们的人均楼房享用依旧，虽然他们的财富及国民收入下降了，但因为楼价也下降，消费者盈余的上升足以抵消有余。如果我们不管这些下降会带来的其他不幸，国民的生计没有下降。另一方面，纯从房地产看，因为消费者盈余没有算进，加上需求弹性系数的考虑，一个国家的财富与国民收入上升可能代表着人民的生活水平下降。（举个例，如果某国把房地产的供应量减半，需求弹性系数低于一，房地产的总财富会上升，租金收入的总值也会上升，但人民的生活水平会下降。）

地球上不同的国家，某程度上各有各的准伊甸园。以我为例，中国的古文化享之不尽，除了自己的时间其享受之价近于零。曾经提及，购买及移植成长了的桂花树，中国之价只约美国的五十分之一。这些是消费者盈余很高的享受。国国不同，但每国家都有自己的多个准伊甸园。另一方面，消费者盈余这回事，不同地方的变化可以很大。这些变化，国民收入或国家财富一般没有算进去。从经济科学衡量，人与人之间的财富相比没有多大意思，何况国与国之间。国民收入的相比也如是。可以考虑及有点用场的是财富或国民收入的转变，但要基于某些其他情况不变，也要考虑弹性系数的左右。

每个人都可以有自己的伊甸园。好比今天早上我研究古文物，下午写书法，晚上做文章——全部自得其乐，而此乐也，皆消费者盈余。算是富有吗？世俗说不算。上苍有知，如果我的多项玩意本领可以转让排队轮购的人不少吧（一笑）。伊甸园的放弃是多赚钱的代价，受到需求定律的左右。这里有另一个有趣定律：一个住在伊甸园的人，或一个近于伊甸园的国家，因为没有钱或钱较少，对外的影响力会下降。

第六节：财赤有害吗？

一个国家的政府财政赤字属宏观话题，二〇〇八年国际金融危机出现后成为大话题。一个国家可以承担得起多大的财政赤字老生常问，传统的答案：政府财赤的上限是政府税收可以支持得起负债的利息。是浅见。曾经跟弗里德曼谈及，他提出另一个上限，今天我忘记了。

一般的意识，是财政赤字会把债务推到下一代去。也是浅见。二〇一〇年的春夏之交，欧洲南部的几个国家，尤其是希腊，频传近于破产。一时间国际人士纷纷计算几个"危难"之邦的赤字在国民收入中的百分比。风声鹤唳，导致这些国家的债券暴跌，要再发行新债券利率飙升。

中国呢？国家有庞大的外汇储备，中央上头的财赤不是问题。但据说地方政府的财赤或欠债加起来高到天上去，朋友问我意见。无从回应，因为不知实情。我对政府财赤有另一种看法：政府花钱多少无所谓，问题是社会收益的回报是否足以抵偿花去了的钱而有余，即是要问政府花钱的社会回报率是否高于欠债的利率。政府花钱或投资要从社会成本与社会收益衡量。这些"社会"账目历来不明朗。就是私营的机构，甚至有严谨审查的上市公司，造假账时有所闻，何况政府，更何况牵涉到社会成本及社会收益。

私产的僵化观

刚想好怎样写此节，杨老弟怀康传来一篇贝克尔（Gary Becker）二〇一〇年九月二十九日发表的关于中国的文章，打断了思路。那就让我以评论贝兄的一个要点作为分析政府财赤的起点吧。贝兄对中国的前景看得不错，但他说的中国与我所知的中国是两回事。最近他造访神州，说跟很多中国的经济学者、商家、干部倾谈过。是谁误导了他？

贝克尔对中国经济体制的主要批评，是国营企业还是林立，效率欠佳，没有私营企业的活力。他指出现代的世界没有一个国家不靠私营起家，中国的经改到今天虽然大有看头，但人均收入只有日本的十分之一，要富有是另一回事。国民收入的算法我曾力斥其非，但同意富有谈何容易。另一方面，私产、私营等是经济要发展的唯一出路的观点，显然是芝加哥学派的传统思维，今天看是有点僵化了。早在一九七〇年我就说私产不需要有私人所有权，一九八六年说承包合约可以是私产的替代。大家知道，先进之邦的上市公司一般是公有的，虽然股权属股民或某些机构所有，跟今天中国的上市国企差别不大。在中国，好些企业的股权全属国有，其运作通常是斩件判出去给私营的。西方的上市公司要赚钱，中国的国企同样要赚钱。西方公司的管理人出术瞒骗可能被诉之于法，中国国企的可能被双规。今天我还担心的是中国的某些庞大国企的垄断权还被政府维护着，何况处理不善容易导致贪污。

中国制度的启示

我在《中国的经济制度》的神州版写道："私产与市场对改进人民的生活无疑重要，但我们一定要加进界定经济制度的合约结构与安排来看问题。"事实上，《制度》的整本小书是分析层层承包的串连与佃农分成的安排，不仅是西方学者高举的私产的替代，其运作远比贝兄认为是以私产为主的落后国家的运作来得有效率。

我们不要管是什么名称，科斯和我四十年前就认为私人所有权不重要。我从中国的经验学到的，是论产权有点空中楼阁，重要的是以合约结构界定权利与带动竞争。大有效率的合约结构，因为把权利与责任界定得清楚，可以阐释为有私产的本质，但私产不一定能带动中国那种竞争。北京的朋友不喜欢听到那个"私"字，我们大可不说。另一方面，贝兄高举的私产或私营，在国家整体的合约结构不善的情况下，一穷二白的例子到处都有。我在《制度》的神州版也说得清楚，中国独有的制度，用在一个人口那么多资源那么贫乏的国家无疑是天才之笔，但人口稀少而又资源丰富的，可以大派福利，不一定用得着。中国目前令我忧心的不是中国人自己发明的制度，而是从贝克尔高举的先进之邦引进的劳动法例、货币政策、社会医疗、福利制度等项目。

国企不要钱吗？去问有关的干部吧。他们不懂生意之道吗？我没有他们懂那么多。他们不明白市场吗？我没有见过比中国的地区干部更明白什么事项由市场处理得较好，什么事项政府处理优胜。他们知道政府拥有土地征用权（power of eminent domain）可以减低市场的交易费用，于是利用此权推出项目，凡是遇到他们认为是私营与市场会办得比较有效率的事项，他们判出去。手续上先进之邦要十多年才能办到的，他们只用几月。社会成本或社会效益的界外效应（外部性）他们有考虑吗？绝对有。但他们也知道如果项目要亏蚀，奖金与升职免问。认为不会亏蚀的他们会"社会"一番。他们会作出错误的投资吗？当然会，私营与市场也会，哪方比较优胜天晓得，但中国的经验说，让贝兄的思维策划中国的经济改革，中国今天还会是一穷二白。

我对贝克尔及昔日的旧同事没有贬义，只是深信经济学者的天才比不上经济压力逼出来的合约结构制度。是十三亿穷人需要吃饭的压力。我自一九六六年起研究合约，很集中，没有中断过，其后从中国经改的第一天起开始跟进，也没有中断过。然而，抚心自问，我没有本领发明中国制度的合约结构，虽然这里那里有好些地方跟我八十年代建议的有雷同之处。昔日美国的同事主张的私产制度当然比大锅饭好，但更重要是国家整体的合约结构。我将在《制度的选择》

详述。

资产负债表：国企有，国家没有

现在让我转到政府财赤的话题去。从一家私营公司说起吧。这家私营机构在会计上有一个"资产负债表"。此表的一边是资产，asset value 是也。另一边是负债加资产净值，即 liability 加 equity，后者可称 capital。这两边永远相等。香港中学课程有教，虽然会计学教到最高之处还是那张资产负债表。

让我们假设这家公司诚实，其资产负债表算得精确。这公司作投资或做生意，有收入，也有负债。衡量这公司的实力与发展，最可靠是看它的资产净值及其变动。公司经营得法，有前途，每次重估这净值会增加。到银行借钱银行职员主要是看这资产净值，考虑打个折扣可以借多少。借钱是负债。可以借多少呢？原则上可以借尽地球上所有可借的钱。只要资产净值上升得精彩，这家公司无论收入多少或亏蚀多少也不会倒闭。原则上，这家公司的负债甚或财政赤字可以高到天上去，因为预期的未来收入会反映在资产净值这项目上。

一个国家也是一间公司，但因为种种原因没有可靠的资产负债表。中国的国营企业一般有。让我举一个足以欣赏的实例：成都的"宽窄巷子"。这个文化消闲的商业项目全由政府拥有，用注册公司从银行借钱投资五亿人民币，兴建后所有商店租出去私营。二〇〇四年策划动工，二〇〇八年启业，两年后估值十五亿。假设原先借下的五亿没有清还过，这家国企今天的资产负债表大概是资产十五亿，负债五亿，资产净值十亿。从任何角度衡量宽窄巷子是成功的投资，负债大可再增几个亿来作其他投资去。

这个实例教我们很多。第一，国企投资当然可以亏蚀，但私人企业也可以亏蚀。今天的中国，责任上国企不比外间的私企差，而我的感受，是比起外间的上市公司，国企干部的职责界定比外间的来得严谨。第二，国企的干部非常清楚哪些事项他们会做得比市场较有效率，什么应该判出去让市场的私营运作从事。后者他们是不会染指的。第三，整个体制的合约组织重要。界定责任就是界定权利。只要这界定的合约组织运作得宜，是否私产是不重要的。

社会成本与社会收益是关键

让我谈第二类项目：基建如公路、高铁等。由政府策划及建造，使用者要交费，扣除利息，政府可以有盈余也可以亏蚀。这里的问题是收费的进账或多或少外，界外的效应（外部性或所谓社会效益）重要，但不容易算得准。协助工业发展的利益难以估计之外，公路所及，影响地价上升是利，影响地价下降是损。这些都要算进基建投资的考虑。可能因为中国人多，公路等基建项目通常比美国的成功。美国的公共交通设施，单从直接收费衡量，政府投资十次输足十次。

最后一类政府投资最麻烦。摆明有社会效益，但政府不收费，或要补贴，于是以抽税的方法处理。医疗、教育、福利、公安、国防——后者包括战争——属这类。公安与国防的社会成本及社会利益我没有考究过，但医疗、教育与福利的政府补贴，我知道的通常没有可取的社会效果。布坎南等学者作过不少研究，结论一律说是灾难。原因是这些项目由政府处理其成本一律远高于市场处理，而社会效益模糊不清，利益团体容易浑水摸鱼。

这就带到本节要作的结论。政府的财政赤字是指税收（及其他收入）低于支出。究竟这财赤可以容许多大，答案是原则上可以无限大。关键是从社会整体看，政府支出的回报是否有盈余。这盈余的或大或小，甚或负值，难估计。尤其是，社会的成本与社会收益往往无从直接量度。如果一个国家的政府有上苍之能，可以按时算出准确的国家资产负债表，社会的收益是否高于社会成本，会反映在该表的资产净值的变动。房地产总值的变动，人民的知识资产的变动，扣除有关的社会成本，会反映在国家的资产负债表的资产净值的变动中。只要这净值有长进，反映着的是国民收入的增长——包括预期的增长——高于有关的社会成本。这样，政府税收不足，有财赤，发行货币填补是不会引起通货膨胀的。

政府花钱不是祸，大事花钱也不是祸。乱花一通——不管社会收益与社会成本那种——才是。乱花一通，这一代的财赤会是下一代的悲哀；花得有道，这一代的财赤会让下一代收成也。

附录：经济学术的拼图游戏

不少同学要求我写一本关于货币的书，更多要求我写一本关于宏观的。关于货币，我出版了《货币战略论》，打算在《制度的选择》补一章。宏观呢？想不出理由要写一本书。多年以来，行内朋友认为我的价格理论自成一家，但"宏观"我不懂。知之为知之，不懂为不懂：我是个看不到皇帝的新衣的人。

不久前读萧满章传来的一篇长文，其中提到老师阿尔钦说："世界上没有宏观经济学这回事！"（There is no such thing as macroeconomics!）这是强烈的否决，或者阿师认为不需要有。我不知有无，只是不懂。四十年前科斯与巴泽尔对我说："你不懂的是错了吧，为什么不把你不懂之处写出来呢？"本章分六节写出来了，因为增加了多年的观察与思考，胸有成竹，直说是错。话得说回来，我没有跟进四十年来的宏观大师之说，偶尔涉及，认为以"理性预期"（rational expectation）推出的假说难以验证。说实话，从事经济解释那么久，我对经济学者发明的、看不见的行为有恐惧感。另一方面，对那些所谓宏观现象的推断，我比较满意还是价格理论的分析。

回头说本章第一节——解释投资与储蓄是同一回事——我看不到传统的宏观分析有拆解之道，不知今后老师们要怎样教才对。根深蒂固的谬误通常驱之难去，但我解释得用心，例子示范得清楚：皇帝根本没有新衣！老师说皇帝有新衣，学生举手提出质疑，老师怎还可以教下去呢？

解释失业最称意

我最感称意的是第四节：《失业要从公司看》。解释"失业"是经济学的一个重要大难题，在此之前没有谁作过圆满的解释。我这节其实还不够详尽，加上《制度的选择》的有关部分就够了。解释得圆满，没有漏洞。

凯恩斯学派对失业的解释不成，是影响了我的师友之见。虽然大家知道福利经济与最低工资对就业不利，但大家也知道好些失业是不能靠这些人为局限解释的。上世纪六十年代施蒂格勒、阿尔钦等人从讯息费用的角度解释失业。这角度应该对，但我认为他们摸不准，有套套逻辑的味道。讯息费用要放进哪里才对呢？这是大麻烦！我把它放进公司，再在公司的合约中放进以时间算工资的合约，放对了，对得非常对。一子对，整个失业难题变得豁然开朗，得到的多个假说不仅容易验证，支持的事实多得很。以中文发表比较难以传世，但据说该文被网上客骂得厉害，有助。真理被骂得愈多，传世的机会愈高，是思想史的规律。

这里要说的，是《失业要从公司看》的所有要点，我早就知道，在其他文章提及过，只是没有加起来看失业。动笔前我的直觉是加起来看失业可能有惊喜的发现，对萧满章先说了。胡乱地想了一个星期，远不达结论，只是这里想一下，那里想一下，坐下来对着稿纸再算。这是我惯用的进攻法门。这次坐下来，写到半途我就知道执到宝，因为愈写愈清晰。有多个思想片段，每个片段早就想过，以事实验证过，但加起来会怎样自己事前无从猜测，要坐下来猛攻几个小时或几天甚至几个星期才有分解。这是学术研究的乐趣。

拼图传世要合时宜

以思想片段加起来而得到有机会传世的文章，年逾古稀我竟然命中四次！第一次是解通了中国的密码，二〇〇八年写好《中国的经济制度》。第二次是修改《科学说需求》时决定补加一章，题为《共用品的经济分析》。"共用品"也是经济学的大难题，此前没有谁能成功地"破案"。我自己没有这样的雄心。二〇一〇年四月，在修改《科学说需求》时，不知怎的认为要多加一章，扩充以前略谈的一节。早就知道需要补充，但以独立的一章处理，是隆重其事，要增加内容，多想一下。某天凌晨三时，睡不着，走到书桌前坐下，把多年来想到的关于共用品的多个片段写在纸上，每个片段只一两句，加来加去，一下子发觉共用品这个大难题全部解决了！第三次是本章第四节，从公司合约解释了失业。第四次是本卷第四章，满意地处理了财富累积这个大难题。

得来容易的共用品分析明显地有足够的实力传世，可惜这话题虽曾红极一时，跟着行内不了了之，到今天，经济学变得味同嚼蜡，对共用品还有没有兴趣很难说。

文章要传世，合时宜是重要的。我一九六九出版的《佃农理论》，好些朋友认为如果早出十年会有震撼性，因为落后国家的经济发展理论红极于五十年代，一九六九已是日暮黄昏。虽说一个人的思想永远是受到时代的影响，但有创意的合时宜文章难度极高。先知先觉或后知后觉皆不成。要讲碰巧，也要讲运情。奈特一九二四年发表的关于产权与社会成本的大文是出得太早了，科斯一九六〇年旧调重弹，时间上恰到好处。

上文提到的、二〇一〇年九月写好的关于失业的文章，算是合时宜了。网上客骂得那么厉害是证据（一笑）。两年前发表的《中国的经济制度》也极合时宜。那是我唯一的受到大时代转变的影响而针对大时代下笔的文章，时间无疑命中。传世要讲运情，该文的运情要看今后中国的发展怎样。中国的运情好，该文的运情也好。

拼图游戏的法门

说到《中国的经济制度》那本小书（或长文），也是由多个思想片段组合而成的。远不如写共用品或失业那么容易，不是只几天甚或几个小时就能把那些思想片段组合成为一幅完整的图画。大好的学术文章，尤其是我尝试的那种，是拼图游戏。一片一片地拼，《共用品》与《失业》花时甚短就拼了出来。但《制度》一文我拼了好几年，还要频频靠时来运到。困难所在是清楚的。中国的制度我早就依稀地看到一幅绝妙的图画，拼出来所需要的思想片段很多。一九九七年我发现地区之间的竞争激烈，知道是该图画的主要特色。开始拼图时认为片段太多，要淘汰，但到后来却认为片段不够，要加进。不可或缺但还没有的片段是些什么呢？要花时间找寻。单是增值税率全国划一就困扰了我几个月，梦中无端端地想到一九六七年读过的马歇尔的一个注脚，救一救。

同学们要玩我这种思想拼图游戏吗？以经济学而言你要从初学练起。你要有无数的真实世界的观察，日思夜想，从而得到无数的思想片段。遇到一个需要解释的经济话题，你要先在脑子中依稀地想到一幅图画，然后把自己"珍藏"已久的无数思想片段，选一些可能是有关的拼进去。熟能生巧，加上时来运到，你有机会拼得很快，而拼出来的完整图画可能是极为重要的。

中国的经济制度西方没有，那里的学者无从问津这个拼图游戏。但共用品与失业历来是西方经济学的大难题，重要的，却没有谁处理得清楚地对。轮到我拼这两幅难度极高的图画，竟然远比事前的意识来得容易。究其因，是我在这些难题上断断续续地想了多年，可以拼图的思想片段有足够的累积。

年逾古稀是有着数的。经济解释要讲经验，要靠思想片段的累积。经济学术上的拼图游戏，老人家今天还是宝刀未老。

逻辑上，不引进虚无悖论，财富累积的理论推不出来。以产出为主的资产，作为财富累积的仓库，有收入预期以利率折现的上限。如果社会只有这类资产，没有空置，产出的收入消费后余下来的，不容易找到地方累积。虚无悖论说的仓库，本身没有产出，没有收入折现，容纳累积的上限不存在。任何社会，有生产力的资源就是那么多，愈是运用得宜，收入增长愈快，财富的累积愈需要没有上限的仓库的协助。

第四章：财富累积的仓库理论

第二章写《利息理论》，细说了收入与财富的概念；第三章写"宏观"，分析了国民收入。没有花掉的国民收入累积起来是财富的增加。财富累积英语称"资本累积"（capital accumulation）。第二章解释过，资本与财富（wealth）相同。从中国的文化传统看，称"财富累积"是较为通俗易懂的。

财富累积是大难题。此题涉及的收入与财富的理念应该以费雪的为首。昔日做研究生时大家希望从费雪的思路找到答案。老师赫舒拉发当时是阐释费雪理论的主将，一九六四年我问他财富累积的分析，他直言高深莫测，自己没有答案，说希望有一天我能把这难题摘下来。赫师推荐他说自己读不懂的、弗里德曼一九六二发表的《价格理论》的最后一章，是关于财富累积的。我也读不懂。好些年后弗老对我说那章是他最称意的理论分析，我再读也不懂。当年道听途说，大师如鲁宾逊夫人和哈耶克，因为苦思财富累积这个难题而差不多患上精神病。恨不得赫舒拉发还健在，因为我终于找到一个角度把财富累积这难题摘下来。

第一节：累积要有仓库

这角度的构思起自二〇〇六年。当时内地的楼价急升，北京出手打压楼市，朋友问我怎样看。我不经意地回应："人民的收入上升了，消费后余下来的你要他们放到哪里呢？一般而言，买楼作为财富的累积是个好去处，为什么要压制他们那样做呢？"我明白北京担心的所谓泡沫的问题，但多供应建造楼房的土地可以解决，打压楼市是妨碍了财富累积的一个重要选择。

二〇一〇年三月二十三日，在回应复旦大学张军教授写的书评中，我发挥：

关于经济增长，财富累积是重要话题，我曾经像弗老当年，从费雪的《利息理论》入手，所获不多。年多来得到金融危机与中国房地产的启发，我想到一些新角度或可打出去。

新角度有两个相关点。其一起自美国二〇〇八年的金融危机：那些所谓"毒资产"只是一些纸张，写着的财富下降至零什么也没有。如果财富的累积是房地产，其价暴跌资产还在，有用途，有租值，止跌回升的机会存在，不会出现绝望之境。股票财富的暴跌差一点，但有关机构一日存在，股民有机会收复失地。第二点，有关的，是这些年北京屡次要打压楼市。我明白他们的目的，但在经济增长得好的中国，一般市民要通过投资来累积财富，最安全可能是在房地产打主意。不容许他们这样做，或在政策上有意或无意间令房地产的投资者损手，不智。我可以容易地想到极端的例子，说打压楼市可以把整个经济搞垮。

这就带来以生产函数分析经济增长的困难，也有两点。其一是没有上佳的财富累积理论的支持，生产函数理论是建在浮沙上。其二是把生产要素放进函数，制度不对头产出会失灵。我是懂得生产函数分析的，曾经很熟，知道"做是三十六，不做也是三十六"的函数很搞笑。

分析经济增长，多年以来我只着重两点：一、资源的局限；二、竞争的制度。这些是上世纪五十年代经济增长学说兴起之前的老生常谈，从古典的斯密到新古典的马歇尔都那样看。经济的增长由竞争制度带来的资源使用决定，亦老生常谈。我的贡献，是得到阿尔钦及科斯的启发后，把制度分析改进了。改进的重点是把产权约束竞争逐步发展为以合约约束竞争；把交易费用推广为社会费用，再转一下角度，看为约束竞争的费用；把租值消散与制度费用挂钩，而制度增加效率则看作是租值消散下降了。本来是头痛万分的财富累积一下子简单起来，因为可从资源租值的上升看。租值上升带来的资源价值上升就是财富累积了。财富累积的分析，从利息理论的通道发展很难走，从资源租值变动的通道推进顺利得多。

"租值"这个概念有好几种变化（见第五章），处理得高明皆精彩。这里提到的租值可以看为费雪的年金收入或弗里德曼的固定收入（见第二章），以利率折现是财富。一时间那高深莫测的"财富累积"变得豁然开朗。累积财富，跟累积任何物品一样，需要有仓库！忘记了仓库，财富不知放到哪里，是财富累积的思考困难的主要原因。

没有完整无缺的仓库

不止此也。仓库是否广东人说的"冇穿冇烂"是重要的问题。数百年前荷兰出现的"郁金香危机"（tulip crisis）很有名，从这里提出的角度看是财富累积的仓库破裂的例子。当时那里的市场把郁金香球茎的稀有品种之价炒到天上去，可以看为财富累积上升，跟着举国的人抢着在家中后园尝试培植，不再稀有，这仓库破裂收场。天下间没有完整无缺、永不可破的财富累积的仓库。然而，如果一个经济完全没有累积财富的仓库，不可能发展起来。

说起来，财富累积的仓库可能近于神话，比昔日荷兰的郁金香还要神奇，但可以持久不破，可以是累积财富的好去处。我因而要在下面的第二节用想象力推到尽，介绍自己发明的"虚无悖论"，把乾隆皇帝封为主角，让同学们开心一下。

这里还要先说的，是以货币作为财富累积的仓库看是劣着，可能是这话题历来找不到答案的另一个原因。货币是交易的计算单位，也是财富累积的计算单位，但货币的本身不是仓库。尽管弗里德曼曾经说有些人在家中储藏着很多钞票，但毕竟没有谁会不断地增加钞票的持有。把钱存进银行有些人会不断地累积银码数字，算是仓库，但银行要把钱借出去才可以生存。本质是服务，不是仓库。银行本身是一间公司。公司或企业是仓库。购买银行股票是财富累积的投资，但那只是众多财富累积的仓库的其中一种。没有其他财富仓库的支持，银行要赚钱是不可能的。

第二节：虚无悖论

"悖论"是英文 paradox 的中译。有几种解法，都有点模糊。用在这里的意思，是一组言辞仿佛互相矛盾，说的却是真理。我以"虚无"来形容这悖论，是说一些累积财富的仓库可以持久地稳固，内里藏着的很值钱，但没有产出，看不到给拥有者带来什么租值或收入。只是市场有足够的人认为值钱，有需求，就值钱了。既然值钱，利息的放弃是拥有的代价。这样的仓库藏着之物的市值会变动。这市值的上升是回报，下跌是损失，二者的变动代表着财富累积的变动。财富的变动对人的行为有重要的影响，某程度带动着经济发展的进或退。当一个人无端端地有了钱，或变得富有，他面对的局限约束是放宽了，行为的选择范围于是增加，为了争取更富有，在制度可取的社会中会多做一些增加国民收入的投资。

上节提及，资产的升值代表着财富累积的增加，因此，所有资产皆可以看为财富累积的仓库。问题是，在费雪的传统中，资产有生产力，带来租值或收入，而这些收入以利率折现是资产的价值，称财富。这也是说，靠预期收入折现的资产财富，收入的上限约束着财富累积的上限。另一方面，本身毫无生产力的资产也是资产，但我们无从以其产出的收入折现。这类资产的主要用场是累积财富，而正因为本身没有产出收入，作为财富累积的仓库这类资产是没有上限的。这后一类当年费雪没有分析过。以"仓库"来描述这类资产是恰当的，虽然其他有生产力的资产也是财富累积的仓库。

古物收藏是仓库

我说的是收藏品：艺术、古玩、文物等收藏。为求一个完整的"虚无"构思，这里我集中在那些数量不会再增加的"古"物或作者已经仙逝的作品上。这些物品不像土地，不是生产要素，本身不会产出。让我再假设这些收藏品不是挂在墙上欣赏的那种——收藏只是为了"藏"，希望升值。好些花巨资购买这些收藏品的君子、仕女们，对这些藏品毫无研究。在神州大地，自二○○○年起，他们一般没有猜错，买中马而大有斩获的可真不少。

上述的收藏品是财富累积的仓库。虽然在第二章我细说了复息利率的杀伤力，持久地收藏不容易斗得过利息代价的蹂躏。然而，收藏品的市值上升不是平稳的，可以有大幅的波动，机缘巧合，市值的上升可以有一段长时期高于利息的代价。上世纪八十年代，因为日本的经济不济，法国印象派的画作下跌得急，但十年后回升。今天回顾，六十年前收藏印象派的画，选择得对，其升值高于以复息算的利息。

虽然持久的收藏不容易斗得过利息的放弃，只为藏而下注的收藏品可以是很好的财富累积的仓库。历史上，这类仓库，只要形成得稳固，没有出现过荷兰郁金香那种破裂现象。然而，没有产出收入的支持，仓库的稳固形成可不容易，要有如下四个条件的支持。

讯息费用惹来赝品

条件一。收藏品之价上升得够高，赝品一定涌现，而中国人的假冒本领了不起。可靠的仓库的形成是市场要有足够而又可信的鉴证专家的存在。讯息费用历来是收藏品的重要话题。一九七五年我调查玉石市场得到的一个结论，是没有鉴证专家，玉石不会有微小的优劣排列，市场不容易搞起来。这里说的收藏品鉴证跟玉石不同：玉石主要是鉴别优劣，艺术古物主要是鉴别真假——后者的孰优孰劣主要是由收藏者自己判断的。

收藏品的真假鉴别远比玉石的优劣鉴别难度高，可靠的专家少很多。这是高档次的收藏品往往由拍卖行处理的原因。基本上，大有名堂的拍卖行靠鉴证生存，虽然一些朋友认为那里的专家不怎么样。不见经传的拍卖行一般卖假货，有时误把真货作假货卖。大名鼎鼎的拍卖行也屡有赝品，而有时顶级专家认为是真他们却说是"传"，指传说，即是打上问号。有时拍卖行说是真，好些专家也说是开门见山地真，但拍前另一些专家说是假，导致其价暴跌。

总言之，鉴别真假是非常头痛的事。我的观察，是不亲自收藏不容易学得鉴别，而学会了可能秘技自珍。这里的要点是，以收藏品作为财富累积的仓库，提供讯息的专家费用高，且不一定有确实无误的判断，某程度有怀疑的收藏品有高价成交的实例。可以肯定的，是讯息费用愈高，收藏品作为财富累积的仓库的用途愈小。

数量要适当

条件二。收藏品的数量不能太多，也不能太少——要适当。何谓"适当"是有着复杂的层面。二〇〇九年，一小幅宋代曾巩的墨宝在北京拍卖，成交价逾一亿人民币（该作九十年代中期在纽约拍卖四十七万美元成交）。拍出逾亿高价，一个原因该作是孤本。不能说是数量太少，因为这作品归属的仓库是古书画的整体。二〇〇九年北京的拍卖市场"炒宋"，即是说所有宋代的书画一时间大热。一个庞大的书画仓库之内可以分书画，可以分时代，可以分作者等。是大大小小的不同仓库，一间包一间，有关联，互相协助。任何一件作品的本身是一个小仓库，孤本亦然。因为远为庞大的古书画仓库引来顾客，数得出是唐宋八大家之一的曾巩的孤本卖逾亿不夸张。拍卖行喜欢把收藏品分门别类，意图把不同收藏品的仓库分开，使有兴趣的问津者可以分开地集中，务求"成行成市"。

这里顺便一提。在同类的收藏品中，那些所谓"精品"的，在市价一般上升时其升幅的百分率通常比较大，而市价一般下降时其跌幅百分率比较小。不是永远如是，是概率如是。有两个原因。其一是精品通常不多，其存在市场通常知道。比较平庸的不仅远为量大，其总量究竟有多少市场通常不知道。其二，称得上是精品的，假冒远为困难，出现赝品的机会比较少。

问津者要够多

条件三。成行成市重要。有适当的数量之外，有兴趣的问津者愈多帮助愈大。拍卖行是喜欢大搞宣传的。多问津者这个条件，中国九十年代中期起的发展得天独厚。中国人口多，经济发展快，有深厚的文化与收藏传统。另一方面，这些年北京喜欢打压楼市，偶尔又打压股市，但收藏品之市是难以打压的。要在内地打压收藏品的拍卖吗？瘾君子会转到香港的拍卖行去。收藏品的进出口有大麻烦吗？我赌海关的君子们见到曾巩的孤本不会知道是何物。我提到拍卖行是为了示范，他们处理的收藏品只是很小的一部分。

跟这里有关的，是某仓库内收藏品的分布重要。例如博物馆的收藏跟民间的收藏，性质不一样，二者的比例如何对市价有影响；又例如要是民间的收藏过于集中在一小撮人的手上，对仓库不利。

风格或个性重要

条件四。以收藏品作为财富累积的仓库有几个层面，大小不齐，然而，一个称得上是健全的仓库，其藏品通常有该仓库的风格或个性，或有自己的派别。外行人可能不知道，拍卖行不一定分得对，但惯于收藏或善于鉴赏的通常可以一看就知道是哪种风格，属哪个年代或哪一类。这些老手不一定是鉴证真假的专家，但他们懂得品尝。称得上是健全的收藏仓库，必定有一群这样的品尝专家支持着，然后带动其他未入门的走进门内去。

从上述四个需要的条件看，一个健全的收藏品仓库的形成可真不易，而正因为得之不易，失之也难。一个健全的收藏仓库可以长存不破。

印象画派对乾隆皇帝

要举出收藏仓库的成功例子，西方应该首推法国十九世纪的印象派画作。中国呢？今天看我选十八世纪的乾隆皇帝。乾隆不仅是神州历来最大的收藏家，也可能是人类历史的收藏一哥。此帝也，有点发神经，收藏兴趣广泛，工程之巨属天方夜谭。我个人认为乾隆自己指导炮制的物品有点俗气，但风格明确。（他的书画收藏有他的题跋、玺印风格。）不乱来，乾隆凡事苛求：瓷器华丽，玉雕精绝。魄力雄强，这个皇帝写过逾万首诗；手痒，到处题字，遗留下来的墨宝无数。好印章，今天有著录的约两千件，没有著录的更多。别的我没有研究，但有点研究的印章钮雕，我认为乾隆御用的来来去去是同一组人，不仅风格相同，刀法也差不多。这样的皇帝日理万机，六下江南，竟然活到八十八岁。

促成乾隆物品（他的收藏品、炮制品、墨宝等）成为今天收藏品的一个极为成功的财富累积的仓库，量大而又风格明确之外，他的慎重处理也重要。书法有《三希堂法帖》的拓本传世，而三希堂收藏书法之外还多有其他；其他著录有《石渠宝笈》、《乾隆宝薮》等。这些著录重要，因为协助了减低鉴证的讯息费用。其他没有著录的乾隆"物品"无数。

如果中国的人口不是那么多，这些年经济增长不是那么快，今天作为财富累积的收藏仓库，乾隆物品可能因为太多而使这仓库降为二等。世界各地的博物馆吸收了好一部分，可能是大部分。然而，九十年代初期，乾隆的书法及其他与他有关的物品不是那么值钱。当时你花一两百万港元可购进多件，今天肯定发了达。这可见一个财富累积的仓库的形成以至达大成之境，要讲时日与几种条件的结合。这些条件，乾隆物品近于拿满分。论收藏，有朝一日这些物品组成的"乾隆仓库"会雄视地球。回顾人类的收藏历史，从不成气候转为有大成的仓库的例子不少。好些收藏的朋友喜欢猜测哪些艺术作品有大幅升值的前途。我认为他们应该扩大考虑的范围，考虑他们有兴趣收藏的会否打进一个健全的财富累积的仓库。

虚无悖论的主旨

回头说虚无悖论，我要说的主旨是累积财富的仓库不需要是有产出回报的资产，不需要是公司机构，不需要是今天的产品，也不需要是书本说的生产要素。需要的是市民有钱购买，在上文提到的四个条件的维护下，他们的共同兴趣可以促成一个健全的仓库的形成，有持久不破的能耐。

本身没有产出功能的收藏品，可以用作抵押借钱投资，或因为对收藏者的生计给予保障，会鼓励多作有产出的投资。收藏的市场是你看着我，我看着你，你要我藏的，我要你藏的，在满足上述的四个条件下，累积财富的仓库就坚固起来了。不是说市价不会下跌，而是说不是荷兰昔日的郁金香。

说过了，收入增长带来的财富增加总要找些地方累积起来。可靠的仓库愈多对经济发展愈有利，因为选择的范围扩大了。原则上，市场对不同仓库或资产的取舍的均衡点，是扣除了拥有者的不同快意、管理的不同麻烦、仓库的破裂有不同的机会等，其预期的回报率应该一样。除了非法行为，政府打压任何一种仓库，对经济发展的整体皆不利。

第三节： 有产出的资产

资产的价值是财富；这价值的变动是财富累积的变动。市场有价，社会的财富一律算进资产的价值上。一般而言，在知识与科技发达的今天，社会价值最高的财富是知识资产。然而，没有奴隶买卖，人力（包括知识）不能像房子那样以产权易手之价算财富。我们只能把预期的年金收入或租值以利息率折现来作一些大概的估计。如果政府频频干预利率，财富的估计更为困难。开放改革前的中国，资产一般没有市场，租值难以估计，加上利率模糊，财富的估计大概地对也办不到。发明专利与商业秘密的知识资产是可以买卖的，很复杂，是卷三的话题。

在今天大家熟知的市场经济中，原则上所有资产都是财富累积的仓库。资产升值是财富累积上升了。我们在上节讨论的"虚无悖论"是个重要的理解财富累积的起点。我指出以古物收藏品作为财富累积的仓库，只是"藏"，没有产出的收入或租值。藏品升值是希望的回报，利息的放弃是代价。这些收藏品不仅值钱，在某段时期——甚至长时期——其升值大有可观。历史的经验说这种仓库往往长存不破，可以是上选的财富累积的地方。是市场的参与者的互相需求，愿意出价，促成没有产出的收藏仓库的顽固存在。需要的四个条件我解释过了。

敏感的财富变动

转到今天还可以继续增加的收藏品，例如还健在的艺术家的作品，或钻石、首饰之类，也是财富累积的仓库。这里我要补加一个定律：凡是续有供应愈多的收藏品，收藏者对该品的欣赏或享用的需求一定愈大。你可能花巨资购买一件自己不喜欢的古物，但产量还会继续增加的艺术品，你要远为着重自己的欣赏才下注。这定律同学们可以自己想出解释吧。

有产出能力的资产——例如一块土地——是国民收入的根源。虚无悖论所说的资产是没有产出收入的。没有产出的资产仓库不可能独自存在，要靠有生产力的其他仓库的支持。市场的君子、仕女们要购买古物收藏，促成这些没有生产力的财富累积的仓库存在，要靠其他有生产力的资产仓库给他们带来收入。这解释了没有生产力的收藏品的市值，对国民收入的增长是格外敏感的。日本的经验我说过了。中国呢？自八十年代中期起还健在的艺术家的收入上升得快，而二〇〇〇年通缩终结，数量不会再增加的收藏品的价值上升速度惊人。这样的上升速度可以持续多久很难说，要看国民收入的持续增长率，也要看利率与人民币值的变动。最困难的估计，是人口十三亿多的中国，今天（二〇一〇年）好收藏的可能只是很少的一摄人。收藏是有传染性的玩意。有钱的人多了，知识与文化的欣赏增加了，收藏的人马会增加多少我不知道。附庸风雅是有钱人的玩意，历史来来去去那样说。

说到有生产力的财富累积的资产，我们可分三大类。一、土地及房产；二、企业或公司机构；三、知识资产。这里要先说的，是上节提到的收藏仓库的四个必需条件，有生产力的资产仓库近于完全不需要。以有产出的土地为例，我们不需要专家鉴别真假，不需要有适当的土地总量，不需要有够多的问津者，也不需要论什么风格。有产出收入是足够的支持。当然，企业可以做假账，或知识可以弄假名头，但这些有资料可查，用不着苦学多年而还有问号的专家。

财富可以按时增长

先谈土地资产吧。我只用简单的农地说。简化，让我假设没有通胀，人口与收入不变，农产品的每亩产出是永远一样的。这样，减除耕耘费用余下来的是农地的租值，永远不变。这租值年金除以利率（折现）是农地的价值，也是持有该农地的人的财富，永远一样，不加不减，是增长率为零的累积仓库。租值的年金收入与利息相等，即是租值与地价的百分比与利率相同。

现在假设人口或收入按期增加，预期准确的农地收入按期增加，有一个增长率。这样，农地的租值会按年增加，年金收入是预期的租值折现后乘以利率。因为租值每年增加，迟一年折现的财富会比早一年折现的高。农地的市值或财富于是按时增长。每时期看地价乘利率等于预期的年金收入，但财富的累积在上述的假设下按时上升，反映着农地之价按时上升。这是说，收入预期的失误可以导致财富的变动，但财富的变动不一定代表着预期失误——因为财富可以跟着准确的收入预期而按时变动。这样看，如果你肯定楼价会按时上升，但这预期升幅加上可收的租金低于利息，你不会抢着购买。

转谈企业或公司，也是财富累积的仓库，其股票之价的上升或下跌代表着财富累积的变动。原则跟农地一样，但这里的问题比农地复杂很多。新产品的销售前景如何，管理问题如何，政府朝令夕改的法例如何，就是状元也不容易拿得准。简单地说，一间上市公司的股票的市盈率（price-earning ratio），是反映着市场对这间公司的前景预期。不同公司或不同行业的市盈率的差距可以很大，而此率的大幅变动有几种不同的阐释，这里不说了。

学问要用生命换取

最后谈知识资产。今天的社会知识资产是最重要的财富累积的仓库。百多年前的马歇尔与七十多年前的费雪早就这样说。知识是共用品，可能错，但死不掉，可以一代传一代，一层一层地累积。知识投资是我初出道时的热门话题。复杂，这里不能多说。可以指出的，是我们今天在比较现代的家庭中，目光所及之处，不容易看到一件物品不是曾经有多项发明的支持。盘古初开的人住在山洞中。我曾经花几年时间，用了一个基金不少钱，研究发明专利与商业秘密及这些知识资产的租用合约。得到的成果写了一篇长报告，二〇〇五年收进自己的《英语论文选》中。

也要说的是除了专利知识与秘密知识，求学通常是风险低回报高的投资。问题是钱再多也不能把学问知识收购为己有。金钱之外，学问要用生命换取。花时间，要放弃今天的收入来换取明天的收入，而借钱求学不是举手之劳。说实话，求学是苦事，要有成就苦得很。可幸是有趣的玩意，而学问有成带来的骄傲金钱买不到。我在《吾意独怜才——五常谈教育》那结集中谈到求学的多方面。

第四节：仓库容量没有上限重要

一个国家的财富是所有资产的价值加起来的。财富累积历来是经济学的大难题。前辈们没有从"仓库"的角度看，要不是忽略了资产价值的变动，就是忽略了一些重要的资产。虚无悖论说的没有产出收入的资产仓库重要。除了我说的"古"物收藏之外，一些其他资产某程度有一点收入的"虚无"，协助着财富的累积。不考虑这方面，我们不可能从收入增长的角度找到财富累积的均衡点。在第二节我们指出了一个要点：单靠有产出的资产作为财富累积的仓库，财富的上升不能超越产出的预期收入折现的上限，而如果所有资产皆如是，其价值一律达到上限的顶点，市民赚得但没有用于消费的钱找不到地方安置！财富累积的理论因而需要有没有价值上限约束的资产才能找到均衡点。

引进虚无悖论，财富累积的社会均衡点就变得简单了：扣除了不同的喜好、不同的管理麻烦，等等，均衡是不同资产的回报率相同。没有产出的资产要从升值看回报。回报通常基于预期，后者看不到、摸不着。然而，均衡本身也只是概念，不是事实。找到均衡点是说推理有了一个完整的逻辑架构，也是说我们可以从局限的变动推出可以验证的假说。当然，交易费用的存在会使分析变得远为复杂，但毕竟我们是有了一个完整的分析架构。

自二〇〇〇年中国的通缩终结到写此章的二〇一〇这十年间，中国的房地产与收藏品（后者包括还健在的艺术家的作品）的价值上升得非常快，反映财富的累积有着骄人的增长。其他资产的升值数据我们或是没有，或是难明（例如股市）。这就再次带到没有产出收入的收藏品给我们的启示。这个财富累积的仓库是全靠有收入的资产仓库的支持，其升或降对国民收入的变动很敏感。可惜我们无从猜测好于收藏的人数是否到了一个饱和点，也不知道还会增加多少。

逻辑上，不引进虚无悖论，即是不引进没有产出因而没有价值上限的资产，财富累积的理论推不出来。虚无悖论说的仓库，本身没有产出，没有收入折现，容纳累积的上限不存在。任何社会，有生产力的资源就是那么多，愈是运用得宜，收入增长愈快，财富的累积愈需要没有上限的仓库的协助。本章第二节解释了，后者仓库的形成及稳固是要讲条件的。

当然，上述只是推理逻辑的需要——在真实世界，科技的发展可使土地的价值不断上升，何况可以产出的土地及其他资源，今天空置着的还有不少。但逻辑上，引进没有产出的资产不仅放宽了财富累积的上限约束，而且在推理时投资的边际回报率相等这个均衡理念，运用起来有一个宽松的好去处。

还是以乾隆皇帝收笔吧。二〇一〇年十月，三件乾隆物品在香港拍卖成交。一个玉玺一亿二千多万；一对珐琅瓶一亿四千多万；一个葫芦瓶二亿五千多万。据一个识者提供的资料算，其中一件的市值五十多年上升了四十万倍——平均每年的复息增长逾二十三厘！这可见没有产出收入的资产的财富累积近于没有上限。或者说这上限只是受到其他资产的收入的约束。至于上述的不同资产回报率相等的均衡，没有收入的资产可以随时由市场重估所值，然后以重估后预期的升值看回报。有收入的资产，收入是回报，而我们解释过这样的资产可以按时升值。

既非流动，也不静止，盈利是无主孤魂。意外的收入，来无影，去无踪，不可以利率折现。盈利是不能折现的收入。事前不知道会发生，事后也不知何日君再来的盈利，没有理论可以解释。

第五章: 成本、租值与盈利

经济学用的成本（cost）、租值（rent）、盈利（profit）等词的意思，与街上人的共识很不相同。不是经济学者故扮高深，或要标奇立异，而是理论逻辑上的需要。差之毫厘，失之千里。一般人在茶余饭后所说的，大家都领会。不是用理论解释行为，概念的正确性不重要。我自己对行外朋友所说的"成本"等词的意思，与跟行内朋友说的不一样。

令人遗憾的，是经济学课本对这些概念往往在行内与行外之间落墨。不一定因为作者自己不明白，而是出版商要求课本有市场，要顾及一般的理解力。写课本的往往明知某些概念有问题，也要放进去。昔日写课本的同事说，好些教授数十年如一日，你说做生意不会有盈利，课本怎会卖得好的？这样一来，做学生时学坏了，变为教授自己不懂。概念上的谬误历来根深蒂固，不易改正。我在本卷的第一章力陈概念的正确掌握重要，要频频用真实世界的观察印证才可以学得好。同学们要摒除成见，或忘记自己学过的，才考虑老人家的解释。

第一节：何谓成本？

西方经济学所用的 cost 这个字，中译困难。八十年代初期跟几位懂中文的朋友考虑了一段日子，大家认为把 cost 译作"成本"不大恰当。这些年以中文下笔，我有时用"成本"，有时用"代价"，有时用"费用"、"耗费"等，都是 cost 的中译。我想，要是这里能写得读者明白我为什么那样举棋不定，那我的解释就差不多了。

先来一个定义吧：成本是无可避免的最高代价。"代价"是指放弃了些什么。舍乙取甲，乙是甲的代价。这样，成本是指"机会成本"（opportunity cost）。问题是，所有成本都是代价，都是机会成本，"机会"说出来是多余的，应该省去。这好比价格永远是相对的，所以用"相对价格"这一词就多用了两个字。经济学上没有不是"机会成本"的成本，没有成本不是代价。正确的英语定义是：The cost of an event is the highest-valued opportunity necessarily forsaken。

成本起于有选择

成本是因为有选择而起的。没有选择就没有成本。说成本是最高的代价，也就是说放弃的是最有价值的机会。你考虑选甲，要放弃的有乙或丙或丁……哪一个要放弃的对你有最高的价值，就是你要取甲的成本。如果单放弃最高价值的一项而不能得甲，那你就要加上其他的组合来取甲。这组合也一定是可获取甲的价值最高的放弃。不是最高价值的放弃——不是最高的代价——不是成本。次高或更低的代价对你考虑甲的选择是没有关系的。

朋友请你去看一出电影，你要放弃的可能是两个小时的薪酬，或是休息两个小时，又或是跟一个貌美如花的女人谈心两个小时。哪一项你要放弃的价值最高就是你看那"免费"电影的成本。如果跟美女谈心值五百元、薪酬二百、休息一百，你的成本是五百，而其他两项是不需要考虑的。

最高代价不变成本不变

成本既然是最高的代价，那么最高的代价不变成本就不会变。你去理发，收费八十元，那是你理发成本的一部分。花一个小时理发，那个小时你可以赚一百元，但你放弃了，理发成本是一百八十元。今天是周末，你没有工作，时间的价值下降，于是，你的最高代价下降，理发的成本就下降了。理发店在周末生意特别好，这是原因。需求定律使然也。

这次去理发，理发师不小心，把你的头发剪得太短了，不好看。你的理发成本有变动吗？没有，因为你最高的代价没有变。变动的是理发本身的价值。这次价值大跌，你事前不知，中了计。要是你预先知道，你不会选这次理发。这可不是理发的成本上升，而是预期的理发价值下降了。

要选取的价值有变动，会影响你的行为；要放弃的价值（代价或成本）有变动，也会影响你的行为。科斯说，要获取的价值与要放弃的成本是同一钱币的两面。问题是要解释行为，我们要把这二者分清楚。若二者有混淆，比较复杂的推理就变得麻烦了。记着：最高代价不变，成本不变。

泳池的例子：成本永远向前看

如果你是富有人家，考虑在后园建一泳池。你估计未来每个时期该泳池给你的最高用值（use value），以利率折现而求得一个现值，那是你愿意以现金购买该泳池的最高之价了。泳池的成本又怎样算呢？起码有三项你要加起来。一、泳池的建造费用；二、水的费用与清洁水的费用；三、放弃了的花园给你的最高用值。这三项你都要以利率折现加起来而求得一个现值总成本，然后以这现值总成本与预期的最高用值折现相比。

上述的泳池例子，有两个要点我们要澄清。其一是成本可以是流动的，每期皆有，甚至期期不同。但成本也可以是静止的，以利率折现后而得的一个没有时间的现值。一般来说，要与用值相比，最可靠的办法是大家都折现，以现值比现值。以流动比流动是可以的，但远为复杂而出错的机会甚大。若以年金（annuity）的算法相比，那就等于以现值相比了（见本卷第二章第三节）。

第二个要点，是泳池建成后，你若考虑要不要继续保留该泳池，建造泳池的原来成本与你的考虑无关。这是因为建造成本已成历史陈迹，不能收回来。历史成本不是成本——这点重要。成本永远是向前看的——初学的同学要每天早上背一次！

如果你考虑应否保留泳池，若将整间房子连泳池卖出去，房子的售价会较高，那又作别论。历史的建造成本不是成本，但因为有泳池而房子售价较高，这较高的那部分是不保留泳池的代价，成本也。要是政府发了神经（政府神经是常常发的），禁止城市再建造私人泳池，那你的房子之价可能因为有了泳池而急速上升。这样，不保留泳池的代价（成本）急升，你的保留意向增加了。

如果泳池建成后，事前可想不到，你的儿子的邻家小朋友天天跑到你家里来享用泳池，喧声震耳，你敢怒不敢言。泳池的成本是否增加了？答案是：成本没有增加，但用值是减少了。

最高代价不变，成本不变。如果泳池建成后，某石油公司来找你，说你的泳池之下有石油，那你要保留泳池的代价（成本）急升，不保留的意向增加了。

决策要从今天看

我说 cost 译作"成本"有问题，是因为中文"成本”这一词往往有“历史”的含意。以往的，俱往矣，跟你今天要作的决策无关。你买了几部电脑开公司做某些服务生意。事前你当然考虑电脑的成本与其他支出，与预期的收入比较一下。但若购入了电脑，开了档，生意不如所料，考虑应否继续经营时，你不会考虑电脑早些时购入之价，而是今天可以卖出之价。我再说一次：历史成本不是成本。

成本究竟是真是假，是由个人的判断决定的。有时历史成本不应该是成本，但个人所知不足，认为是，就中了计，作了错误的决策。记得上世纪七十年代时，我在美国要出售一个照相机的镜头，登报叫价美元三百。是早几年我以五百美元买回来的，用过，折旧二百，看来是适当了。殊不知广告一出，几个买家一起来抢购，结果我以四百元卖出。后来我才知道，该镜头的新市价是千多美元。讯息不足会影响成本的估计。我当时以“历史”成本开旧镜头之价，是因为自己的讯息不足，被误导了。

每个人的决策都是今天做，或决定将来再作打算。但我们不能回头到昨天补作决策。昨天的决策今天看，对是对，错是错，覆水难收。以成本作为决策的衡量，我们只能从今天看，或今天决定推到明天才看，但时光不可以倒流。历史成本可能误导，但若不是讯息不足，历史成本不会误导。本章第一个附录我节录发表过的《上河定律》，示范成本概念的应用。

　　说说译名的困难吧。Cost 译作"代价"本来最恰当，但要是我说"生产代价"，中国的文化传统可能过于隆重，令人想入非非。中语"成本"有历史的含意，我说过了，也是文化传统使然。八十年代内地把transaction cost 译作"交易成本"。我认为不妥，因为可以使人觉得是包括生产成本。英语 transaction cost 是不会使人联想到生产那方面去的。我认为译作"交易费用"比较恰当——今天内地的同学是跟着用了。至于 social cost，有时我称"社会耗费"，有时称"社会成本"，皆看情况而定。

　　交易费用有好几个不同的层面，本卷第八章我会按层分析。至于社会成本，则属《制度的选择》的话题了。

第二节：比较成本

　　比较成本（comparative cost）是一套理论，又称为"比较优势定律"（the law of comparative advantage）。这定律用以解释为什么不同的国家，不同的企业或不同的人，会专业（specialize）生产。其答案是不同的生产单位，生产同样的两种或以上的物品，只要生产成本的比例不同，各自选择在比例上成本较低的来专业生产，然后在市场交易可以互相得益。

　　弗里德曼（M. Friedman）认为比较优势定律是

经济学上最重要的理论。我有保留，认为专业生产还有其他重要的原因——这是第七章的话题。然而，从简单、清楚、客观、说服力强等角度看，比较优势定律难得一见，是经济科学值得引以为傲的。

是李嘉图（D. Ricardo）一八一七年创立的，其后参与发展的名家辈出，好不热闹。于今回顾，以解释行为来说，主要还是李嘉图原来的简单分析。他以两个国家两种产品为例，让我们用他当年的例子谈谈吧。

两个国家，英国与葡萄牙，各自生产衣料与葡萄酒，情况如下：

	英国		葡萄牙		
	劳工	产量	劳工	产量	总产量
衣料	100	1	90	1	2
葡萄酒	120	1	80	1	2

如上数字可见，无论生产衣料或葡萄酒，葡国都有绝对优势（absolute advantage）：两种产品，产量同样是一，葡国所需的劳工都比英国所需的少。然而，从劳力成本的比例上看，英国一单位衣料的成本是 0.833 单位葡萄酒（100 除以 120），而葡国一单位

衣料的成本是 1.125 葡萄酒（90 除以 80）。这是说，衣料的成本英国比葡国低。转过来，葡国一单位葡萄酒的成本是 0.889 衣料（80 除以 90），而英国的葡萄酒成本是 1.20 衣料（120 除以 100）。葡萄酒的成本葡国比英国便宜。

成本不同贸易互利

上述是说，两种同量产品，只要不同的国家所用的生产要素（这里指劳工量）的比例（ratio）不同，国与国之间的成本一定不同。那是说，若甲国的 A 产品成本比乙国低，那么乙国的 B 产品成本也一定比甲国低。一个国家可能所有产品所需的生产要素都比较少（都有绝对优势），但如果上述的比例国与国之间不同，在成本上算，一个国家不可能所有产品的成本都比较低，或任何一国必定有些产品成本是比他国低的。这就是比较成本的概念了。

回头再看上述的数字例子，若不专业生产，两国的衣料总产量是二，葡萄酒的总产量也是二。但如果英国专产衣料（成本较低），衣料的总产量是 2.20（220 劳工除以 100）；葡国专产葡萄酒（成本较低），酒的总产量是 2.125（170 劳工除以 80）。两项总产量都比不专业生产为高。李嘉图假设葡国与英国以一对一贸易，可以 1.125 葡萄酒来换取 1.125 衣料。贸易后，葡国可得 1.125 衣料，剩下 1.0 葡萄酒；英国可得 1.125 葡萄酒，剩下 1.075 衣料。二者都比一与一为多，而这就是专业生产、互相贸易带来的利益了。

比较成本的变化

跟着而来的理论发展，重要的有密尔（J. S. Mill, 1848）——此君当年竟然能在有竞争的市场下，推出贸易成交价的厘定（李嘉图的一对一只是假设）；两个瑞典经济学者（E. Heckscher, 1919；B. Ohlin, 1933）解释国与国之间的比较成本不同，是因为生产要素的组合不同；英国的勒纳（A. P. Lerner, 1932）与美国的萨缪尔森（P. A. Samuelson, 1948）指出，国与国之间的贸易不仅在某程度上替代移民或其他生产要素的跨国转移，而且在多个假设下，不同国家的生产要素价值可以因为有贸易而变为相等。这些都是题外话。

少为人知但比较重要的，是每个国家有不同的比较成本优势，只能在产品换产品或在同一货币的情况下才可以肯定。要是大家有不同的货币，而汇率受到管制或其他局限的左右，那所谓购买力平价说（purchasing power parity）可能脱了节，需要或短或长的时间作调整，而在这调整期间一个国家可能失却大部分或甚至所有的比较优势产品。一九九七年的亚洲金融风暴，差不多所有亚洲国家的汇率皆暴跌，但香港的币值与美元挂钩，因而失去了不少比较成本的优势。跟着而来的香港通缩是调整，而这调整有好几年。

国与国之间的贸易，除不同货币外还有关税、劳工法例等障碍。最明显的国与国之间跟一国之内的不同，是后者的生产要素可以自由流动，不会有国与国之间的生产要素的不同组合了。

国际与人际原则一样

一国之内的比较成本理论一样，分析更为容易。一个小市镇内最好的医生也是最好的打字员。做医生的成本是打字员的收入，做打字员的成本是医生的收入，这个人当然会选做医生，因为做打字员的成本比其他打字员高。如果这个人是该市镇最差的医生但却是最佳的打字员，他做打字员的成本也远比其他打字员高，所以还是选做医生。这是比较成本的选择。事实上，在生产要素自由流动的市场中，选择收入较高的职业，就是比较成本较低的职业了。这是专业生产。

李嘉图创立的比较优势定律，用之于一国之内，一镇之中，甚至朋友之间，皆畅通无阻。但一定要有自由市场，而市场要有私产的权利界定。市场若受到管制，或私产不存在，以专业生产而互利会有很多问题。中国昔日每个人由政府分派工作，要达到李嘉图的专业互利是纸上谈兵。一个人的比较成本做哪种专业较低，没有市价的指引，靠政府分派工作，讯息费用是太高了。

我自己做了那么多年教授，对学生提出选择职业的问题时，只能对他们说我所知的市场情况，选择最好还是由学生自己判断，因为学生在不同职业上的能力与喜恶，我不能比他们自己更清楚。知子莫若父，我对自己的子女认识多一点，也关心多一点，但也不敢替他们作职业（专业）的选择。这不是因为子女不听我的话；正相反，我是怕他们唯命是从。我怎会不希望子女选上适当的职业呢？他们长大了，受了教育，自己选择职业，一般来说，会比我替他们选的可靠。如果政府替我的子女选择职业，你认为李嘉图会怎样看？

成本是最高的代价。要生产甲物品，放弃最高价值的乙物品是成本；要选择甲职业，放弃最高收入的乙职业是成本。比较成本是指人与人之间的比较，或国与国之间的比较——鲁滨逊的一人世界是没有比较成本这回事的。李嘉图以劳工生产的简单数字分析，再可以简化。生产同一物品，或选同一职业，我比你有优势，不是指本领比你的高，是指我的成本比你的低。这样，你必定有其他产品，或其他职业，其成本比我的低。相当浅，但第一个想出来的是天才。李嘉图是天才。

第三节：租值理念的演变

我常对学生说，要学经济理论，学今天的就可以了。说了这句话之后，我通常作点补充：有些理念，不追溯经济思想史，我们不容易明白今天的。租值的理念就是这样的一个例子。要真的明白今天经济学所说的"租值"，了解一下前贤的思想大有帮助。

先说三个要点

租值（rent）这个理念非常重要，但相当复杂。先入为主，在介绍租值的思想史之前，我要略说今天我对租值的看法。重要的有三点。

（一）租值是收入，可以预期，可以用利息率折现。然而，与一般的收入不同，租值的增减或转变是不会影响供应行为的。这里要小心了。收入转变，不容易想象所有的行为都不会跟着变。收入转变，某些有关供应的行为可能不变。租值是一个角度看世界，是从某些供应行为不变的角度看收入。这样看，收入的转变不影响行为或资源的使用，租值是"多余"的，surplus 是也。

（二）租值是成本，可以预期及折现。租值作为成本看不是指资源或生产要素另谋高就的机会成本，而是把生意或资产转让或出售的机会成本。例如，一家企业作了投资，生产要素的使用不变，这家企业或生意若在市场出售，其所得是企业的净值。出售整盘生意也是一个机会，其净值是不出售（继续经营）的成本。这净值可以作为租值看，因为净值变动，生产行为或供应可能不变。从生产行为不变的角度看，这净值也是多余的。本卷第六章第四节分析上头成本时，我会再分析一家企业的租值。

（三）租值这一词来自土地，因为从不变的角度看，地租无论怎样升降，土地的供应量不变。单看不变的土地供应量，地租是多余的。如果考虑土地有不同的用途，随时可变，那么某一用途的土地供应量，会因为不同用途的租金变动而变动。这样看，土地的租金就再不是我们这里分析的租值了。

从土地供应不变的角度转向其他非土地的行为不变的角度，"租值"这一词就搬过去了。虽然经济学者发明了"经济租值"（economic rent）及"准租值"（quasi rent）等词来描述非土地的供应不变，我们可以单用"租值"一词来代表一切类似的有一般性的情况。今天经济学的行规，是"经济租值"或"准租值"是指土地之外的资源或生产要素的使用不变的收入。我个人喜欢一般化，不管土地或非土地，简单地以"租值"一词代表上述的角度看世界。

困难是在应用上租值的角度不容易看。不惯用的一时看到一时看不到，而若看差了推理就容易失误。因此，回顾一下租值理念的思想史是有帮助的。

古典大师的看法

经济学鼻祖斯密（A. Smith）一七七六年发表的《国富论》（*The Wealth of Nations*）定下来的分析架构，今天仍在。他把经济问题分为资源的使用（resource allocation）与收入的分配（income distribution）两大类。前者是"微观"，后者是"宏观"，虽然他的宏观与今天的不同。其实斯前辈还分析了第三类问题，那是关于劳工与地主的生产制度安排。他认为制度的安排会演变，适者生存，不适者淘汰。这个适者生存的观点影响了后来的达尔文，后者提出了重要的进化论。

另一方面，适者生存的观点也影响了辩证法唯物论的发展，使马克思认为资本主义必遭淘汰。制度既然被视作会被淘汰，不同制度的分析就着重于优劣之分，漠视了解释不同制度的共存。不同合约的安排，不同机构的组织，在经济学课本中从来没有重视过。二十世纪六十年代兴起而后来搞得一团糟的新制度经济学，开头的十年八载某程度上有复古的意识——回复到斯密的制度分析再搞起来。

关于租值，斯密当年是指土地的收入。他有两种看法。其一是微观的资源使用，他认为租值是一项成本，因为土地有不同的用途。成本是放弃了的代价，这个重要而正确的概念，始于斯密。

其二是宏观的收入分配。斯前辈认为土地是上苍赐予的，给强权抢来占为己有。这样，租值是多余的（surplus）。地主强人不事生产也有租值的收入，而如果没有这项收入，土地还会存在。宏观而言，斯前辈认为土地没有其他用途，所以地租不是成本。这个观点一代一代地传下来，到了乔治（H. George, 1839-1897），就建议单一税制（只抽地税）。我们的孙中山先生读到乔治的《进步与贫穷》(*Progress and Poverty*, 1879)，搬义过纸，写成了三民主义。

到李嘉图（1817）分析租值时，主要是从斯密的"宏观"的收入分配那方面看。他把生产的总收入分为工资（劳工的收入）、利润（商人或资本家的收入）与租值（土地的收入）。他的租值看法继承了斯密的传统：租值是多余的，因为没有租值收入土地的供应量不变。但李前辈加上一个有争议的观点：他认为土地之所以有租值，是因为不同土地的肥沃程度不同——differential rent 是也。争议的起因，是李氏既假设土地有限，又假设肥沃不同，重复了租值的成因。正确的看法，是土地若有限（因而缺乏），肥沃相同也有租值；若土地无限，则要有不同肥沃程度才有租值可言。无论怎样说，李嘉图认为租值不是成本：他没有斯密的微观的土地有使用代价的概念。

到密尔（1848）分析租值时，他的重点却又是斯密的微观看法：土地有不同的使用，有放弃其他使用的代价，所以租值是成本，不是多余的。但难倒密尔的，是在观察上不管租值如何，土地的供应量不变。这不变与任何行业的劳工供应可以大变很不相同。

新古典大师的看法

为了解决密尔的困境及其他有关的问题，马歇尔（1890）提出了长期（long run）与短期（short run）的概念。他认为长期而言，什么都可以变，但

短期就只是某些生产要素可以变。他认为如果在短期
内收入变时而供应行为不变的，收入是租值。因为这
种看法不限于土地，马歇尔提出了准租值（quasi
rent）的理念。今天，一般而言，准租值是指土地之
外的其他类似地租的收入：收入变而供应不变。准租
值后来又称经济租值（economic rent），或简称租值
（rent）。那是说，马歇尔的看法，租值再不限于土地
的收入，而是指在短期内任何收入变动而供应不变的
收入。可惜马歇尔棋差一着：他认为土地的总供应永
远不变，所以地租不是成本。

最后一位在租值的理念上对我有影响的，是女
性，鲁宾逊夫人（Mrs. J. Robinson, 1903-1983）是
也。在她一九三三年的名著（*The Economics of
Imperfect Competition*）中，有一章题为《租值闲
话》（A Digression on Rent），很有意思。夫人承受
了马歇尔的准租值传统，但又追溯到斯密的微观与宏
观那方面去。

夫人不着重土地，而是一般性地分析收入的租值
性。她认为从微观的角度看，因为个人有选择，所以
没有租值可言。然而，从社会整体的角度看，所有收
入都是租值。说个人（微观）没有租值，社会（宏
观）全是租值，是斯密的传统，但她带到非土地那方
面去。

猫王的例子

我做学生时，老师谈租值最常用的例子，是歌星猫王 Elvis Presley。这个后来成为二十世纪收入最高的歌星，在卖唱及做明星之前是一位货车驾驶员，每月的收入只数百美元。工余之暇，他试唱，被发现了，一举成名，过不了多久每年的收入以千万美元计！

问题是这样的。猫王唱歌的收入若大幅度地减少了，他还会继续做歌星。要猫王回复旧职，重操货车驾驶员，他的歌星收入要下降很多、很多。这是说，像土地一样，猫王做歌星不会因为收入下降一个大数字就改变了。这样，成了歌星，要猫王另谋高就——做货车驾驶员——其收入要有很大的变动他才会考虑。因此，猫王做歌星的大部分收入是租值，不是成本。（这是不考虑猫王可以签"卖身契"的机会成本。）

这个传统的看法不对，因为从猫王个人角度看，东家不唱唱西家，东家的收入就是唱西家的成本；不登台演唱而去拍电影，登台的收入就是拍电影的成本。是的，从个人的角度看，选择数之不尽，就算同样登台演唱，改换了一首歌也是选择，"机会"所在皆是，皆成本也，租值从何而来？

然而，从社会的角度看，猫王的租值的确很高：把他的歌星或明星的收入大幅度削减，他还不会回头做货车驾驶员。在大幅的收入转变中，他做歌星的职业不变。收入转变而行业或职业不变，其收入可看作租值。

想深一层，货车驾驶员也是工作。猫王若不做歌星，回头做驾驶员，他还是在工作。不论行业，单论工作，他的收入要下降至近于零才会不工作。从社会的角度看：只论工作收入，猫王这个人就像一块土地，工作生产去也。不论行业，猫王怎样也工作，他的收入全是租值，一命呜呼才是他的成本。

如上文所述，租值的理念是指收入有所转变而某些供应行为不变。这是指某些可变的选择，在收入的转变中不存在，所以这部分收入可作为租值看。然而，说有某些选择不存在，可不是说完全没有其他选择存在。事实上，其他选择是永远存在的。因此，从没有选择的不变角度看，收入是租值；从有选择而可变的角度看，放弃了的收入是成本。

教授的例子

多举一个例子吧。在香港大学工作时，到了六十退休之龄，我续约两年再做下去，薪酬照旧。但六十二岁再续约时，校方有新例，凡逾退休之龄续约的教授，薪酬要减至高级讲师的顶点水平。这样，我的薪酬被减了大约百分之四十五。我续约一年，教授之职不变。从教授之职不变的角度看，我被减去的百分之四十五可以说是薪酬未减时的租值。

有趣的问题来了。减了百分之四十五的薪酬,我教授之职不变,那么多年以来,香港的纳税人岂不是给了我太多的钱?从教授之职不变的角度看,是对的。但事实上,我见减了薪酬,就推却了不少可以让同事们做的行政工作,多把时间放于整理自己生平的论著。这是变,而多做行政工作时的较高薪酬,放弃整理论著的代价就是成本。

当然,减了教授薪酬,我可以工作散漫,脱课频频!(天晓得,我可以,但没有那样做。)这些也是变:较高薪时,不散漫是成本。收入变了,不容易想象工作在任何边际上完全不变,虽然有时变得较多,有时变得很少,或微不足道。租值是指收入变了而某角度资源使用不变的收入。因为资源使用不变与选择不变相同,没有选择就没有成本,所以这种收入被称为租值,是斯密的传统了。然而,只要我们能真的考虑所有的选择(包括生意转让),不是成本的租值不存在。

专利的例子

举另一个例。假如香港政府送给我经营电视的专利权,没有任何其他人可经营电视,而又假设电视节目及广播时间皆不容有变。这样,广告收入下降我还会完全不变地经营电视。这些广告收入是租值,但也可看为成本,因为我可以将电视台卖出去。卖出整盘生意也是一个选择,而卖出之价是继续经营的成本。

专利所赚到的、在生产要素成本以上的钱，因为不会被竞争者消灭，称为专利或垄断租值（monopoly rent）。弗里德曼称之为非合约成本，也是高见。

专利租值的变化

一九六八年，施蒂格勒（G. J. Stigler）和我讨论租值与成本时，他提出了如下的例子。太平洋有某荒岛，只可用作飞机下降加油，没有任何其他用途，其收入是租值。是成本吗？当然也是。可以出售荒岛姑且不论，不同跑道的选择，不同汽油供应商的选择，等等，皆有成本的意念。

说租值不是成本是错的，但那是另一种成本。租值或准租值的用途，是让我们能把可变或不变的边际供应分开来处理。租值是漠视了某些资源使用的可变选择的成本。记着，凡是价格或收入变动而某些行为或供应不变，这些收入是租值，但只能从行为不变的角度看。可以是微小或是庞大的不变，要看是为了解释什么。用得好，租值这个理念很好用。

在往后分析生产成本时，同学要注意我喜欢用租值作为一间公司或机构要争取极大化的量度。一间公司有发明专利权，或获政府授予某些垄断权，或有值钱的商标，或是名牌宝号，又或是购置了不容易卖出去的机械设备，是不会在竞争下产品的市价下降了少许就关门倒闭的。本章的第二个附录我节录发表过的工会蚕食租值的分析。

至于"租值消散"这个非常重要的话题，以及这消散跟交易费用的关系，要到第八章才讨论。

第四节：盈利是无主孤魂

西方经济学所用的 profit 一词，中译为"利润"，是不对的。我认为应该译作"盈利"。利润是回报，或是利息的回报。有些书本把利润分为正常利润（normal profit）与不正常利润（abnormal profit），更搞得糊涂了。Profit 译作"盈利"远为恰当，因为"盈"字代表着多了一点。

出于意外的收入

是的，profit 不是工资，不是租值，不是专利或垄断的收益，不是所有生产要素的成本，也不是投资应得的回报。减除这些所有的，但还有一点收入多了出来，怎么可能呢？答案是，盈利是无端端地多了出来的收入。这是说，盈利是意外的收入。

在《利息理论》一章内，我分析了费雪的格言：利息不是收入的局部，而是收入的全部。工资是劳工身价现值的利息，租值是房地产的利息或准租值折现后的利息，商人的投资有利息的回报。费雪的格言因而可以补充：利息不是成本的局部，而是成本的全部。从这个补充的角度看，盈利是意外地高于利息成本的收入。

是的，在竞争无所不在的社会中，考虑到上一节提到的"租值"也是成本，经济逻辑不容许有意料中的盈利。竞争可不是指一般课本说的、有多个出售同一物品的竞争者，而是指本书卷一《科学说需求》的第三章——《缺乏与竞争》——所说的竞争。是的，只要是多人的社会，竞争无所不在。垄断权或专利权也是要竞争的。值钱之物，怎会没有竞争呢？专利权带来的收入，高于生产要素成本的差距，是租值，是另一种成本，我解释过了。这样，专利或垄断是没有盈利的。

一个人有独到的生意眼光，其超凡的收入或财富是他的租值，或是他特别天分的回报。不是盈利。

一家企业因为管理得宜，赚钱比同行的企业优胜，这是管理人才的租值回报，而这些回报会反映在较高的管理薪酬、较高的分红、较高的股息等，其总收入与总成本相等，没有盈利。

一个行动不便的老妇，身无长物，没有其他职业可干，于是在路旁卖咖啡。因为不能找到其他职业，这老妇卖咖啡的机会成本比其他卖咖啡的人低。她赚取到的差距是另一种租值（称为归属租值——imputed rent），不是盈利。

预期回报高于利息的原因

数之不尽的人，作投资或做生意，预期投资的回报率高于利息率。这些人所说的可能是衷心话，不是夸夸其谈。他们预期有盈利吗？我的答案是无从肯定。这个怪答案重要，应该解释一下。

在有讯息费用的情况下（或可说有风险），没有人可以肯定投资或做生意的回报率。一个人若真的可以肯定，百发百中，这个人很容易富可敌国。一个人无论怎样客观地估计一项投资的回报，他知道这投资可以血本无归。预期只可以赚回利息就下注，是傻瓜，因为亏损的机会存在。风险或讯息费用的存在，任何投资预期的回报率一定会高于利率。一个人说的正数预期，可没有减去负数预期的风险。悲观的人存在，但一般而言，投资下注的喜欢从乐观那方面看。另一方面，做生意的老手明白，要赚回利息不容易，而自己的劳力，总要有一点回报，所以就算是相当肯定的投资，加上自己的工资，其预期的回报率要高于利率。

从社会整体的角度看，市场的利率是由投资或做生意的回报率决定的。有人因为意外而发达，也有人因为意外而破产。整体而言，如果真实的回报率与利率有别，借钱投资或会增加，或会减少，从而使这二率相等。

写经济学课本因为要顾及销量，说做生意不会有

160

盈利（profit）不容易卖出去。会计师核数有损益表（profit and loss statement），但会计说的 profit 与经济学说的是两回事。一个本科生选修会计，又选修经济，课本要怎样说才对呢？

盈利没有理论

意外的盈利叫作风落盈利（windfall profit）；意外的亏损叫作风落亏损（windfall loss）。重要的是在经济学的范畴内，没有非"风落"或非意外的盈利或亏损。如果容许非意外的盈利或亏损，其他的价值理念——利息、成本、租值等——就加不起来，使整个理论架构站不住。

我在前文提及，利息与收入永远是流动的，是川流。资本与财富永远是静止的，是以利率折现后的现值。成本与租值可以是流动的，也可以折现而静止。盈利呢？既非流动，也不静止，盈利是无主孤魂。意外的收入，来无影，去无踪，不可以利率折现。让我发明一句格言：盈利是不能折现的收入。

事前不知道会发生，事后也不知何日君再来的盈利，没有理论可以解释。记得做研究生之时，某科考试，教授出一试题："试述及分析盈利理论。"我只答了一句："经济学没有盈利理论。"那位教授是师级人物，我知道他要的答案就是这一句。是的，经济学常说的个人争取极大化（maximization），其争取的价值量度可以是功用，可以是财富，是收入，或是租值，但不可以是盈利。"风落"无从预知，怎可以争取呢？

街头卖桔的例子

转谈一些例子吧。一九八二年回港任职后，年宵之夜我带着十多个学生一起在街头卖桔，卖过三次年宵，第一次是风落亏损的好例子。二百多盆桔子放在露天的街头空地，大雨突然倾盆而下（新春时节这是少有的），不到半个小时桔子都掉到地上，全军尽墨。这例子的重要启示，是风落亏损不会影响我或其他人以后的卖桔意向。那是说，卖桔的行为是不会被改变的。过了一年再卖桔，我改选了不露天的场地吗？没有，因为租金比较贵。

假若卖桔的亏损不是因为倾盆大雨，而是因为属门外汉，一无所知，入货成本太高，或经营手法不当，等等，从经济学看，这不是亏损，而是知识投资的"交学费"。如果卖桔亏损是因为这行业不是我有比较优势的，作错了选择，那是讯息不足的问题，要从我个人的知识资本减除。要是我不服气，有亏损还屡败屡战，坚持卖桔，那是我的负租值。

朝鲜战争的例子

转谈一个风落盈利的实例。一九五〇年朝鲜战争爆发，中国抗美援朝，香港的西药需求激增，一下子香港的西药商因为有存货而发了达。当时我父亲的商店在药商众多的永乐街，所以知道。这西药价暴升带来的意外收入属风落，是盈利。

朝鲜战争继续，西药有巨利可图众所周知，要加入这行业的其他商人不计其数。但加入可不容易，因为存在的西药商人都持有代理权，可以维持一段时期的巨利。这巨利再不是风落盈利，而是租值，可以折现。

西药商人因见有巨利（租值）可图，大手输入西药，一手一手地加上去。后来一九五三年朝鲜战争突然终止，存货量太多，且药物不能久藏，不少西药商破产。这是风落亏损。

盈利与亏损都是"风落"的，皆意外也。然而，本书提到的亏损，不一定是意外的，而是跟一般课本说的。这样下笔，因为不是意外的亏损有好几种，而经济学没有方便的替代用词。"盈利"是另一回事。不是意外的利润，我们可称为利息，或可称为租值。本书用的"盈利"一词，永远是指意外的风落（windfall）。

附录一： 从上河定律说成本概念

（这里节录二○○三年三月六日发表的《上河定律》，略作修改，示范成本概念的应用。）

去年十二月，上海博物馆举办一个重要的国宝展览，是集中北京故宫、辽宁博物馆与上海博物馆的珍藏。不远千里而来的雅士云集，加上上海本地人多，排队进场要选人少时间，而进了场后要看北宋张择端绘的《清明上河图》，又要再排队。这后队不是很长的，但要排两个多小时。

那时我和太太刚好到上海几间大学讲话，躬逢其会，要去看看。博物馆的主事人要我们在非繁忙时间去，派一位很有礼貌的女秘书出来招呼，但说明观看《清明上河图》不能插队，要排两个多小时。这是说，作为贵宾，进场可以方便一点，但《上河图》则是贵宾不贵的。

成本高观看得久

《清明上河图》是宋徽宗委任张择端画的，画了三年，而展出的原作真迹的后一段不复存在。排队两个多小时我没有排。不排队不能近看，但可从离画八英尺左右看。《上河图》的人物多而小，离画八英尺本已不善，再加上要穿过排队的观者之间的空隙看，更要再打折扣了。

我站着想，人龙只有百多个，为什么要排两个多小时呢？答案是轮到观看的人看得很慢，比一般欣赏名画的慢得多。这又是为什么？灵机一动，想通了。因为排队时间是一个价，也可说是一项成本。成本愈高——即是排队的时间愈长——参观的人是准备久看才作两个多小时的排队投资。这是说，排队的人愈多，不仅等候的时间愈长，每个观者轮到时所花的欣赏时间会增加。以图表曲线分析，纵轴为等候时间，横轴为排队人量，其二者的相关曲线不是直线上升，而是向右弧上。

让我再说一次。时间成本愈高，每个观者的欣赏时间愈长。如果六十人排队，观者平均欣赏一分钟，第六十个要等一个小时。但如果一百二十人排队，观者平均欣赏会超过一分钟，第一百二十个要等超过两小时。既然是从《清明上河图》的人龙得到启发而想出这个有趣的规律，而"上河"有逆水行舟之意（虽然清明上河不是这个意思），我称之为"上河定律"。

上河定律与需求定律

有两点还要澄清。其一是依照经济学的理念，历史成本不是成本。既然排队排了两个多小时，是历史，覆水难收，再不是成本，不是代价，为什么我说时间之价或成本高会多花时间欣赏呢？答案是观者多花时间欣赏，其考虑不是已经排队的两个多小时，而是这次不多欣赏此后再欣赏的时间成本预期也会是高的，还要加再到博物馆去的麻烦成本。

举一个例。假若《清明上河图》持久地展出，不用排队，去观看，我欣赏一分钟。但如果我得到方便，可以不用排队欣赏，但说明只此一次，之后我要排队两个小时才能看到。这样，虽然不用排队，我的欣赏时间会超过一分钟。有关之价是可以选择的代价。不用排队，这次没有时间之价，但真正的代价是这次不多欣赏，之后要排队两个小时，所以这次我要多欣赏了。

第二点要说的，是我曾经说，超级市场的繁忙时间人龙愈长，收钱的员工的动作会被迫而愈快。于是，因为人龙长，每件物品的"过机"时间会较快。这与"上河定律"是相反的。但这里是多了一个收钱的员工，他的动作因为龙长而较快。与上河定律相同的，是如果一家超级市场没有提供购买少物的快线，繁忙时间需要排长队，购物者一般会选购买较多物品。这使一个购物者的平均过机时间较长。另一方面，买一包香烟的人通常不会选繁忙时间到超市购买。这也是需求定律的含意。

是的，吃自助餐，同样的食品，每客收费五十与收费一百的食时与食量不同。收费五十，顾客会吃得较少和较快。收费一百，好些食客会因为价高而不光顾，但光顾的会吃得较多和较久。这也是上河定律。

附录二：从蚕食理论说租值概念

（这里节录二〇〇八年十一月二十五日发表的《新劳动法与蚕食理论》，略作修改，示范租值概念的应用。）

二〇〇八年一月北京推出新《劳动合同法》，跟着此法为祸明确，为什么网上还有读者支持呢？利益分子或颜面问题不论，答案是有些人见到某些地方，或某些企业，最低工资及劳动法例是明显地提升了就业工人的收入。这里的重点是租值的存在。最低工资及劳动法例由政府推出，跟着加进了工会，一个有租值的工厂或企业可以被蚕食而使工人的收入增加。租值是资源使用不受价格变动影响的那部分的资产价值。一家工厂大手投资购买了机械，转让出去不值钱的那种投资，工资被迫增加也要继续干下去，其租值是被蚕食了。一间因为苦干得法而打下名堂的企业，或有值钱的注册商标，或一间工厂研究有获，在发明及设计上拿得专利注册，等等，皆有租值，不是什么最低工资或新劳动法一推出就要关门的。他们有一段颇长的时日可以逆来顺受，但一旦遇到市场大为不景，租值全失，专利名牌就变得麻烦了。这是二〇〇九年美国汽车行业的困境。庞大的租值被蚕食了数十年，几殆尽矣，怎还可以经得起金融市场的风风雨雨呢？

蚕食租值要有工会协助

一般而言，蚕食企业的租值，是需要工会的协助才能成事，所以工会有工人的支持。工会操作的关键（先进之邦的工会，不是目前中国的），是阻碍工人自由参与竞争，因为工人自由竞争不容易蚕食企业的租值。

有幸有不幸，中国的最低工资与新劳动法是来得太早了。君不见，二〇〇八年纷纷关门大吉的工厂，清一色是接单工业，没有什么租值可言，用不着什么工会对立老板就失踪了。这是不幸。幸者，是关门关得那么快，而又是那么多，其示范大有说服力，好叫有关部门知道容易中先进之邦的劳动法例之计。

可以阻碍工人自由竞争的工会今天在中国还没有出现，可能因为大有租值的企业目前在中国不多。新劳动法无疑会鼓励蚕食租值的工会出现，但要等到中国的发展更上一层楼，大有租值的企业无数，这类工会才会借新劳动法的存在而林立起来。真的吗？可能不会吧。聪明的老板会意识到只要新劳动法存在，有租值蚕食力的工会早晚会出现，不敢向增加租值的投资下注。

这就是北京的朋友要重视的一个关键问题。要搞经济转型这些日子说得多了，而所谓转型者，是要鼓励增加租值的行业：研发科技、搞国际名牌，等等。有新劳动法的存在，企业租值上升，蚕食此值的工会随时出现，岂非血本无归乎？新劳动法来得那么早，一则是悲，一则似喜也。我这个老人家是怎样也笑不出来的。

美国的通用汽车曾经是地球上最成功的工业制造厂，产出的汽车量冠于天下，名牌不少，发明专利无数，其曾经累积的租值庞大。二〇〇八年金融危机出现，蚕食租值数十年的工会不让步。二〇〇九年该厂的资产净值下降至负值，由政府接管收场。

都是新古典经济学的传统惹来的祸。这个以马歇尔为首的伟大传统有一个习惯，喜欢把不同的因素或变量分割开来，让某些变某些不变，用以分析每项转变带来的效果。作为理解一个分析的步骤，这习惯有其可取之处。问题是理论的最终目的是解释世事，把变量分割开来理解可以，但再组合时什么可变什么不可变就要以解释能力为依归了。懂得分开来，但忘记了更重要的为解释而组合，是数树木而不看森林。

第六章：生产的成本

　　生产成本又是经济学的一个难题。这可不是因为问题本身湛深，而是经济学者对真实世界的生产知得不多。世界复杂，不同的行业有不同的生产程序，有不同的生产方法。经济学博士连一个行业也不需要作研究，这门学问怎可以把多个行业的生产成本规律或其成本曲线一般化呢？一般化是有广泛解释力的理论必需的。

　　虽然以斯密为首的古典经济学在欧洲兴起时，英国的工业革命已搞了一段日子，但古典经济学者对生产的分析，主要是农业。当时，他们的兴趣是劳力与土地的使用及收入分配，皆以农业为主。到了二十世纪，生产成本曲线的分析还是集中在劳力与土地的层次上，转到工业生产就把土地改为资本。这种墨守成规的分析不一定错，问题是工、商业生产比农业生产复杂得多。把简单的分析搬上复杂的层面，不是不可以，但在细节上遇到好些问题，使我们不容易理解复杂生产的成本。

　　复杂的世事是要以简单的理论解释的。简单的农业生产成本理论，解释不了复杂的工业生产成本，可不是因为简单的过于简单，而是因为简单的没有经过复杂的蹂躏，以致简单的或忽略了重点，或用错了假设，或作了错误的判断。我曾说如果要懂得运用简单的理论，我们要先向深处钻，然后深而浅、浅而深地来来回回几次，以至浅的理论有一个深的层面，浅的就变得有用场了。理论要用浅的，愈浅愈好，但要是我们不从深的简化而变浅，除非你是绝顶天才，浅的会因为内涵不足而没有大用场。同一个样子的成本曲线，其内容要怎样阐释对解释行为有决定性。

且让我从浅说起，进深，然后复浅地来分析一下生产成本。

第一节：边际产量下降定律

边际产量下降定律（the law of diminishing marginal productivity）又称为回报率下降定律（the law of diminishing returns）。这大名鼎鼎的定律万无一失，是一个"实证定律"（empirical law）。"实证"是指定律之内的所有变量（variables）在原则上是可以观察到的，是事实，非抽象之物也。在卷一我们数次提及，需求定律中的需求量是意图之物，是抽象的，真实世界不存在。但边际产量下降定律却没有这种困扰。边际产量（marginal product）虽然是事实，原则上可以观察到，但一般来说只能在一个可以调控的实验室才可以量度，现实生活中是不容易或不能量度的。有这样的困难，运用边际产出理论（marginal productivity theory）又要讲功夫了。

小孩子的学问

边际产量下降定律是说，如果有两种生产要素（factors of production），土地与劳力，一种要素增加而另一种固定不变，总产量会增加，但这增加会愈来愈小（边际产量下降），然后总产量达一顶点，再其后总产量会因为只有一种生产要素继续增加而下降。

四岁时我在香港读小学一年级。老师问：如果一个人可以在十天之内建造一所小房子，那么两个人建造需要多少天？我当时知道老师要的答案是五天，但怎样也不肯答，问来问去我也说不知道。老师认为我太蠢，不可教，要留级。后来我留级的次数成为香港西湾河的典故。

一个人十天，两个人五天，十个人一天，一万个人需要多少天？让我告诉你吧。一万个人挤在一块小地上建小房子，一亿年也建不出来。这就是边际产量下降定律。母亲在生时常说："人多手脚乱！"这是中国人的传统智慧，说的是边际产量下降定律，但这定律可不是我不识字的母亲发明的。

要证实这定律的必然性，我们不妨反问：假若边际产量下降定律是不对的话，世界会有些什么现象呢？答案是：如果这定律不对，我们可用一平方公尺的土地，不断地增加劳力、肥料、水分等，而种出可以供应全世界的米粮。这类现象显然从来没有出现过，所以边际产量下降定律从来没有被推翻。

记着，边际产量下降是基于某些生产要素之量固定不变，或不是所有生产要素之量皆自由变动。在这个大前提下，这定律有几方面的变化是重要的。

定律可从比率看

（一）以甲、乙两种生产要素为例，如果甲之量是二，乙之量是一，其比率是二比一。甲增至四，乙增至二，其比率还是二比一，定律无效。甲增至四，乙仍是一，四比一，定律有效，因为乙之量不变。甲增至八，乙增至二，比率也是四比一，但乙之量是增加了，定律如何？

答案有两个。其一是吹毛求疵的。那就是在某种生产函数（production function，我很少用）下，在某一段产量中，甲、乙的比率增加不一定会导致甲的边际产量下降。其二是不管生产函数怎样，只要这比率不断增加，甲的边际产量迟早会下降。这样，一般而言，边际产量下降定律不限于一种要素之量固定不变，而是适用于不同生产要素的比率转变。

（二）如果生产要素不限于甲与乙，而是有更多种的，那么一种要素不变而其他的几种皆变（增加），边际产量下降定律是否同样有效呢？答案也是两个。其一也是吹毛求疵，某种生产函数下，在某一段产量中，这定律可能无效。其二是只要不变的继续不变，其他的几种要素继续增加，到了某一点边际产量必定下降。

在稍后及第三节较为详尽地分析生产成本时可见，上述两点重要。边际产量下降定律不限于两种生产要素其中一种固定不变而另一种增加，而是还有上述的两个变化：一、增加生产，要素的比率有所变动，边际产量下降迟早会出现。二、只要有一种要素之量不变，其他的要素不管有多少种，它们的增加迟早会带来边际产量下降。

“团性”不对，变法可解

（三）定律是说两种生产要素之一不变而另一种增加时，总产量（total product）曲线的上升是弧形似山：边际产量的上升率下降，总产量达一顶点，其后曲线下落。这样，平均产量（average product）曲线与边际产量（marginal product）曲线皆向右下倾斜。然而，自奈特（F. H. Knight, 1921）之后，经济学者喜欢把总产量曲线画成先弧上然后再弧落——平均与边际产量曲线皆先升而后降。

定律是指边际产量曲线下降的那部分，开头上升那部分是违反了定律的。怎么可能呢？这是个难题。奈特的解释是生产要素有“团性”（lumpiness 或

indivisibility）。这是说，一个劳工就是一个，不可以把他斩开来解体生产。这也是说，因为要有一个起码的生产要素单位，"团性"存在，所以边际产量曲线是先升而后降的。这个解释很牵强，因为一个劳工或任何生产要素，不需要用刀解体，而是可工作一个小时、半个小时、一分钟或甚至几秒钟。这样，"团性"是不存在的。

我不反对边际产量曲线有上升的那部分，而是反对"团性"的解释。我认为困难所在，是传统的边际产量分析假设生产的方法不变。一般经济学者误解了边际产量曲线，误解了成本曲线，也误解了供应曲线，以为这些曲线像需求曲线那样，需要假设某些因素不变。不对。以产出为核心的供应曲线与需求曲线不同的一个重点，是前者的好些其他因素的转变大可自由。这是后话。

要是我们让生产的方法自由转变，开头一段的边际产量曲线上升就没有问题了。一个人拿着一卷软尺量度土地，其产量是量度了的土地面积。一个人有一个人的方法。多加了一个人，软尺还是一卷，量度的方法一样，两个人交替用同一软尺，产量的边际上升必然下降。但如果两个人合作，各执软尺的一端来量度，其量度得的土地面积（产量）会比一个人的产量乘以二为高，但生产的方法是改变了。若继续多加人手，软尺还是一卷，无论生产方法怎样变，边际产量是必定会下降的。

三部曲有重要验证用场

（四）奈特以"团性"为理由来解释边际产量曲线开头上升，目的是要支持他认为是重要的生产"三部曲"。甲、乙两种生产要素，在那最常用的线性倍增（linearly homogeneous）的生产函数下，若甲的平均产量达到顶点，乙的边际产量一定是零；倒转过来，乙的平均产量达顶点，甲的边际产量是零。这个有趣的规律其实是 P. Wicksteed 一八九四年发明的，后人称之为 the law of variable proportions。

奈特以图表示范的三部曲如下：第一部，甲要素的平均产量上升，乙要素的边际产量是负值；第三部（没有印错，不是第二部），乙要素的平均产量上升，甲要素的边际产量是负值。重要的是中间的第二部：甲与乙的平均产量皆下降，二者的边际产量都一定是正数。这样，生产一定是在一与三之间的第二部从事，因为在第二部之外，必有一种要素的生产贡献是负值，不用胜于用也。

以上的分析有点技术性，读书考试的学生要理解，但对解释行为来说，重要的可不是那三部曲，而是其中的一个含意：不管生产函数怎样，若一种生产要素增加时其平均产量下降，另一种要素的边际产量必定上升。这含意重要。

想想吧。在局限下争取极大化永远是以边际之量来推理的。边际产量虽然是事实，但在真实世界不容易观察到。有了 Wicksteed 的发明，我们可从甲要素的可以观察到的平均产量转变来推断乙要素的看不到的边际产量转变。我做学生时写《佃农理论》，用这方法，加上变化，表演神功，把老师吓了一跳（见该作第八章）！当时我有的是台湾多种农产品的几年数字，很详尽，但都是土地的平均产量。理论推断了的是不同生产要素的边际产量转变，手上有的资料只是一种要素（土地）的不同产品的平均产量转变，但我能以这些"平均"资料证实理论推断了的所有边际产量转变。

技术归技术，含意归含意。解释世事要把含意拿得准，懂得简化，懂得一般化，也要懂得加上变化。只管技术而不管含意内容，是一种游戏，与科学验证是扯不上关系的。

要素需求曲线可以不用

（五）向右下倾斜的某生产要素的边际产量曲线，若乘之以产品之价，可看为该生产要素的需求曲线（factor demand curve），当然也是向右下倾斜的。你若要多玩游戏，生产要素的需求曲线可以有很多种，变化不同，复杂之极，但还是向右下倾斜的。这些复杂变化对解释行为没有帮助，不谈也罢。

这里要提的，是物品的需求曲线向右下倾斜，生产要素的需求曲线也是向右下倾斜，既然二者皆向右下倾斜，要再简化我们大可取消后者。论需求，数十年来我只用一条需求曲线，坚持向右下倾斜，不管是消费物品需求还是生产要素需求。"一粥一饭，当思来处不易。"你说粥与饭是消费物品还是生产要素？二者皆是也。

以边际产量下降定律为基础的边际产量理论，还有其他重点要说的，但我决定推到《制度的选择》、分析不同的合约——如分成合约、件工合约——时才讨论。本章要分析的是生产成本，这一节先给读者在生产的规律上打个基础。

第二节：传统的成本曲线

传统的成本曲线有短期（short run）与长期（long run）之分。短期是指一种生产要素之量可变而其他要素之量不变；长期是所有生产要素之量皆变。那是说，短期的成本曲线受到边际产量下降定律的约束，而长期的则没有这个约束。

是马歇尔（Marshall）的传统发展出来的。可能初时经济学者以为只调整一种生产要素时间较短，而调整所有要素则需要较长的时间。这个以时间分短、长的概念今天已遭淘汰，不是因为调整不需要时间，而是我们无从肯定调整一种要素所需的时间一定比调整多种要素为短。再者，传统的成本曲线图表，其横轴代表着的产量一般是没有时间的一刹那（one instant of time），而就算横轴代表一段时期的产量，传统的图表永远是把短期与长期的成本曲线画在同一图表中。因此，时间是相同的。

不变是不让其变

短、长与时间无关，今天的短、长之分是用以示范一种生产要素增加与多种要素增加的不同效果。不变是经济学者不让其变，不是不能变。这一点，有些书本说不清楚，引起混淆。更重要的，是有解释力的成本曲线的阐释，要与真实世界的情况大致吻合，因为成本是局限。

在局限下争取极大化（或最高利益）的定理（postulate）下，任何生产者的任何产量，其成本一定是生产者所能控制得到的最低成本。这是套套逻辑的定义，没有可以更改的空间。在真实世界中，一个生产者可能为了节省成本，在某些情况下决定某些生产要素之量不变。但这是生产者的选择，不是不能变，也不是经济学者不让之变。对解释生产行为有用场的成本曲线，一定要从生产者的选择入手。经济学者是没有资格教生产的人怎样减低成本的。传统的成本分析不是完全不知道这个显浅的哲理，但经济学者历来都有"自以为是"的意识，在生产成本的分析上没有集中在选择那个角度看。

回头说那传统的短期成本曲线，其形状是由边际产量下降定律决定的。事实上，这些成本曲线与上一节所说的产量曲线完全一样，只是将"要素"之轴的名称改为成本，转九十度，然后对着镜子看。即是说，上节提及的产量曲线，是以纵轴为产量，横轴为生产要素量。现在把横轴之量乘以一个要素之价，称为成本。把这成本横轴转九十度成为纵轴，然后对着镜子看，纵轴是成本，横轴是产量。

短期碗形是定律使然

成本曲线有三条：总成本、平均成本、边际成本。知一可以知三，总成本曲线可以不用。平均成本是总成本除以总产量，边际成本是总成本的变量除以总产量的变量，二者的量度单位相同，都在纵轴，所以平均成本与边际成本这两条曲线可以画在一起。这是经济学入门的课程了。

如果我们接受奈特的"三部曲"，让边际产量先升而后降，那么边际成本曲线是先降而后升，而上升的那部分就是边际产量下降定律。先降而后升，是碗形（U-shape），而有关的平均成本曲线也跟着是碗形的。平均下降，边际一定在平均之下；平均上升，边际一定在平均之上。这样，在下面上升的边际成本曲线会穿过平均成本曲线的碗底。"短期"的边际成本上升是因为边际产量下降定律。

经济学课本把多个生产者的边际成本曲线向上升的某部分向右横加，作为该产品的市场供应曲线。说是"某部分"，因为课本拿不准上升的边际成本曲线要从哪一点开始算才是个别生产者的供应。这不重要，因为只是学生的技术习作，与解释行为扯不上关系。真实世界不会无缘无故地只让一种生产要素转变的。这可不是说边际产量下降定律对生产成本没有重要的关系，而是书本把这定律误用了。

长期要碗形是大麻烦

传统的"长期"成本曲线——让所有生产要素变动的——不受边际产量下降的约束。技术上，长期与短期的曲线关系是好玩意，但不重要，这里不花笔墨了。有趣的是一九三一年，芝加哥大学的名教授 J. Viner 发明长、短成本曲线时，请一个名叫 Y. K. Wong 的中国学生画图表。该学生说教授想错了，技术上画不出来。教授坚持己见，学生于是照画，成了大错。这典故在经济学行内很有名。后来该名满天下的文章重印，老教授故意不改错，以注脚说明当年应该听那位中国学生的话。

内容上，长期的平均成本曲线比短期的有更大的麻烦。问题是这样的。要有多个生产同样物品的人或机构在市场竞争，长期的平均成本曲线一定是要碗形的。若一个生产者的平均成本曲线不断下降，产量愈高售价可以愈低，其他的竞争者不敢问津，垄断是必然的效果。如果长期的平均成本曲线是平的，生产者可以是一个或是数之不尽，无从决定。这是说，要有生产竞争，而又要决定竞争者之数，长期平均成本曲线必定要是碗形的。

这碗形是说，让所有生产要素变动，平均成本先下降而后上升。怎么可能呢？一般的观察，我们知道大量生产（mass production）会导致平均成本下降。但怎样解释呢？好些书本走奈特的路，说长期平均成本下降也是因为生产要素有"团性"（lumpiness 或 indivisibility）。我在前文提及，以团性解释短期平均成本下降很牵强。以之解释长期平均成本下降不容易，解释其上升更困难。老师赫舒拉发（J. Hirshleifer）当年在课堂上，为了应付我在这"上升"的难题上节节进逼而发明了如下的一个例子：一只小草蜢跳一次高二英尺，跳三次加起来是六英尺，但若草蜢三倍大，跳一次其高度可不及六英尺！

困难是这样的。大量生产如果可以减低平均成本，而长期的平均成本曲线是让所有生产要素变动，没有边际产量下降定律的约束，那么不断地增加生产，平均成本充其量是平的，不会上升。这样，不会有多个竞争产出者。传统的挽救方法，说若产量不断上升，企业管理能力（entrepreneurial capacity）总会出现问题，所以平均成本就上升了。这个解释不可取，因为管理也是一种生产要素，既然长期是让所有要素增加，增加管理有何不可？

传统惹来的祸

我认为解释长期平均成本曲线是碗形的整个困难，是经济学者作茧自缚，坚持着一些假设，而在这些假设下，碗形的长期平均成本曲线不能成立。他们或明或暗地用上四个假设。（一）生产的方法或技术不变；（二）生产要素的价格不变；（三）生产要素是以同效率的单位（efficiency unit）来量度（生产效率一半，算半个单位）；（四）增加任何要素没有任何困难（交易费用是零）。

都是新古典经济学（neoclassical economics）的传统惹来的祸。这个以马歇尔为首的伟大传统有一个习惯，喜欢把不同的因素或变量分割开来，让某些变某些不变，用以分析每项转变带来的效果。作为理解一个分析的步骤，这习惯有其可取之处。问题是理论的最终目的是解释世事，把变量分割开来理解可以，但再组合时什么可变什么不可变就要以解释能力为依归了。懂得分开来，但忘记了更重要的为解释而组合，是数树木而不看森林。

我们知道如果容许多个竞争者生产同样物品，那所谓"长期"平均成本曲线是要呈碗形的。但在上文提及的四个假设下，该曲线会是平线一条。以什么"团性"、企业管理困难等来把曲线"碗"起来，不仅牵强，也不容易明白，更谈不上以事实验证了。书本上的含意，是上述的四个假设若取消任何一个，另一条平均成本曲线就会出现。这是对的。但我们要的只是一条，由生产者自己选择的那一条。

这里我必须带读者回到本书卷一的第五章所分析

的需求定律。该定律是指需求曲线向右下倾斜。其实需求曲线可以有很多条，向右下及向右上的加起来不少，每一条都有不同的变或不变因素的假设。但我们要的是一个有解释力的定律，其约束力愈强愈好。该曲线向右下倾斜还不够，我们要尽量减少不变的因素。只要需求曲线向右下倾斜，可变的因素永远是多胜少。但有些因素不能变：我们不容许连天大雨对雨伞需求作为该定律的一个变量，因为这变量会明显地推翻定律。连天大雨，就画另一条雨伞需求曲线吧。

成本曲线可没有这种规限。我们有的只是边际产量下降定律。这定律容易接受。问题是一个产出者的"长期"平均成本曲线，在真实世界可以在市场需求的范围内不断下降，带来垄断。换言之，容许所有生产要素变动，一个产出者产量上升其平均成本不断下降会带来"自然垄断"（natural monopoly）。然而，在真实世界中我们不容易找到这种垄断的实例。另一方面，竞争产出需要有碗形的平均成本曲线。这后者的推出是传统的大麻烦。

第三节：阿尔钦的贡献

老师阿尔钦（A. A. Alchian）发表过几篇举世知名的文章，但我认为他最重要的一篇——Costs and Outputs（成本与产出，1959）——却少见经传。有三个原因。其一是该文不是发表在正规的学报，而是在一本向 B. F. Haley 致敬而出版的不同作者的文章结集，发行量不多。其二是阿师的分析相当复杂，不容易一般化。其三，最重要的，是该文过于创新，与传统的生产成本分析格格不入。

这里我要把阿师的思维尽量简化，作点补充，然后修改传统。我的结论是，碗形的平均成本曲线可以保留，但在阐释上传统之见是没有什么值得保留的。

阿尔钦的分析有三个基础：

基础一。生产成本没有长期与短期之分，所有生产要素都可以选择调整。不用传统的"一刹那"，有时间性，而时间对成本的决定十分重要。有时间，不分长期短期，但要看有关的时间程序（the relevant run）。这个基础我完全同意。

基础二。成本永远向前看，而向前看是一个生产计划（output program）。生产计划有三个层面。一、未生产前的准备时间；二、预期的总产量（volume of output）；三、预期的快慢生产率（rate of output）。

基础二我大致同意，但要作两点补充。其一是阿师考虑的生产计划是未投资产出之前的考虑。投资产出开始了，世事变幻无常，再向前看，成本的考虑往往要用上租值的理念。这个重要的变化我会在下一节分析。其二是生产计划，在时间上，往往是不知何日才终止的。你开一家餐馆，不是打算一年或两年或三年就关闭。

基础三。有了预期的生产计划，所有成本都以利率折现的现值算。这点可取，但不容易处理。有了一个清楚地界定了的生产计划，确定了，现值成本不难算出来。但若开始生产后前景有变，加上有"上头"成本（overhead costs），就会有多方面的考虑，不容易以一个清楚的生产计划为凭。

事实上，如果我们坚持上述的第二及第三个基础，产品的平均成本只得一点，画不出一条曲线来。从解释生产行为的角度看，一点也已足够。然而，没有成本曲线，就没有供应曲线，对市场的供求关系及变化就不容易较为全面地看。阿师的分析在行内不能一般地被接受，是创新的代价。我会以另一位老师——赫舒拉发（J. Hirshleifer）——的补充，加上自己的，用阿师的思维画出成本曲线，比传统的有理得多。

量增平均成本下降

在上述的三个基础上，阿尔钦提出九个生产成本的建议（propositions），太多太复杂了。可幸的是，其中七个建议不重要。重要的有两个，只谈这两个建议吧。

建议一。生产率（rate of output，每段时间的产量）不变，增加总产量（volume of output），平均成本必定下降。这建议容易接受，有四个原因。

一、阿师提出的，总产量愈大，可选用的成本较低的生产方法愈多。有不同方法的选择，生产的方法会因为总产量之变而变。方法成本下降，平均成本就下降了。

二、熟能生巧。这观点可能始于斯密的《国富论》（1776）。量大容许增加分工专业，也容许生产的人有较多的练习机会。我调查过香港与内地的件工生产运作，绝对同意熟能生巧这个观点。凡是订单量愈大的，分工专业（每工人所做的不同部分）有分得比较多的倾向（其实这也算是改变了生产方法），而专于一种新产品的某部分，开始时不习惯，但几天后生产的速度会因为手熟而增加。

三、这是我补充的。总产量愈大，平均产量的交易费用愈低。例如，以每天算，长租的合约的交易费用不仅可以摊分开来而下降，而租金本身也因为交易费用的下降而减少。聘请员工也类似：短暂性质的工作不容易聘得效率好的员工，就是聘得到其所须付的工资也会比较高。

四、这也是我补充的。以生产的订单算，生产有准备成本与试产成本，而量大摊分，平均成本会下降。第七章会以出版行业示范。

以上四点，解释总产量上升（生产率不变）产品平均成本下降，是与传统的成本曲线分析截然不同的。传统假设生产方法不变（有变则要画另一曲线），漠视了熟能生巧，不管交易费用的存在，也不管准备成本与试产成本。

赶急平均成本提升

建议二。总产量不变，生产率增加（加速生产，但总产量不变），平均成本必定上升。说"必定"显然有点问题，因为我们不难发现在某些情况下，生产率上升，在初段平均成本可能下降。这个小节阿尔钦后来是同意修改的。不重要，重要的是总产量不变，增加生产率到了某一点平均成本是必定会上升的。

英谚云：Haste makes waste（赶急造成浪费）。阿师的观点是：赶急不会造成浪费，但会增加成本（Haste makes a higher cost）。这观点很好，很好。有钱万事通。工可以赶，可以赶得很快，但产品的平均成本会上升，甚至急升。这个生产率升（总产量不变）而平均成本升的建议，也有四个原因。

一、阿师的分析含意着的，是加速生产率，生产要素不容易一起调整，或不容易保持同一的比率，所以边际产量下降定律就会发挥其效能，使边际与平均成本上升。我们日常生活可见，短暂的生产率急升，生产的企业或商店是不会调整所有生产要素的。例如在农历新年的前几天，理发店顾客急升，酒家客似云来，但这些店子只增加临时员工，其他的生产要素大致保持不变。

二、阿师没有说，但我们可以把他的增加总产量会容许选用成本较低的生产方法倒转过来：增加生产率赶工，可能会迫使生产者采用成本较高的方法。

三、又要再提我的交易费用了。阿尔钦认为若要赶工（提升生产率），聘请职工（或增加其他生产要素）时其价（或工资）会上升。没有错，但这是交易费用上升而引起的。市场有资讯费用，有议定合约的费用等。因为这些（交易）费用的存在，作了"错误"或成本较高的选择，在赶工的情况下是比不赶时远为容易发生的。

四、要赶工，上文所说的准备成本与试产成本可能要重复。这一点我也会在第七章示范。

以增加生产率（总产量不变）来解释产品平均成本上升（近于我们中国人所说的"手忙脚乱"），与传统的长期成本上升的解释相去甚远。严格地说，传统是什么解释也没有的。

赫舒拉发的贡献

老师赫舒拉发同意阿师上述的两个建议，但把阿师的生产计划更改一下，画成了一条碗形的平均成本曲线。赫师认为一般的、大多数的企业生产，没有预期的终止日期。如果生产是无限期的，那么生产率上升，总产量会同步上升。总产量上升（生产率不变），平均成本会下降；生产率上升（总产量不变），平均成本会上升。以纵轴代表平均成本，横轴代表生产率，因为生产是无限期的，横轴的生产率上升时其含意着的总产量也一起上升。开始时加量的平均成本下降效应会比加率的平均成本上升效应强，所以平均成本下降。继续增加生产率（量也齐升），到了某一点加率的效应会比加量的效应强，所以平均成本就上升了。这样，平均成本曲线是碗形的。横轴的生产率是有时间的（例如每天产多少），不是"一刹那"。

不分长、短期，不约束生产方法，不固定生产要素之价，不界定要素的效率单位，引进熟能生巧，面对交易费用，加进准备成本与试产成本，让量与率齐升——产品的平均成本曲线很容易是碗形的。边际成本曲线自下而上，穿过碗底，而多个生产者的边际成本曲线向右横加起来，就是市场的供应曲线了。要把市场需求曲线放进同一图表，其横轴要用同样的有时间内涵的需求率。

第四节：上头成本与租值摊分

说过了，传统的生产分析着重于农业。然而，到了十九世纪后期，马歇尔开始重视工业。当时的一般看法，是增加生产时，农业的平均成本偏于上升，工业的偏于下降——economies of scale 是也。其中最重要的一点，是工业生产加上了"上头成本"（overhead costs，马歇尔称之为 supplementary costs）。跟着在这题材上耕耘的有克拉克（J. M. Clark, 1923）、科斯（R. H. Coase, 1938）等人。这些名家的分析既不完善，也不到家。是非常可惜的发展，因为今天再没有谁注意的上头成本，其实是十分重要的概念。这里我要把这概念从头阐释，把它放到重要的位置上。

字典把 overhead costs 译作"经常性支出"，不对，无以名之，直译为"上头成本"最恰当。传统上，上头成本没有一个明确的定义，而有时与非"上头"的"直接成本"（direct costs 或 prime costs）起了混淆，二者的划分不清楚。

要理解上头成本的性质，我们不妨回到上一节的阿尔钦对生产成本的分析。很明显，阿师的分析是以工业为主，但完全没有上头成本。不可能有，因为阿师是以一个预期的生产计划来论成本。还没有下任何生产投资的注，预期的成本必定是"直接"的。直接成本是指那些不生产就不需要支付的费用。

上头成本是否成本呢？

上头成本必定要在作了生产投资，开了档，才可以存在。这些成本是指开始经营后，有些费用不生产也要支付。例如你买了厂房（利息要算），或租了场地（不能退约，租金要付），购置了工具（有利息），或聘请了经理（有合约的约束，工资要发）。这些通常是有没有生意，有没有生产也要支付的。只要你继续经营，不生产也要支付的费用，是上头成本。下文我将会解释，这类费用不是传统说的成本。上头成本要从"租值"或"准租值"（quasi rent）的角度看。

上头成本与直接成本之间通常有一片灰色地带。以一间酒家而论，租金、经理等费用是"上头"，食料、煤气等是"直接"，但侍应、厨师等工资，可以在某程度上以生意的多少来调整，属灰色地带。这是吹毛求疵的问题，不重要。

上头成本不能回头看

重要的是上述的上头成本不一定是成本。有两个原因。其一是不管你投资生产用了多少钱，一旦下了注，付出了的成为历史，而历史成本不是成本。购进了的资产，成本是资产转卖出去的所值，或将整盘生意出售所得的一部分。这样的成本可能比你下注的较高，或可能较低，甚或近于零。其二也类似，那就是在组合生产要素时，你可能签了好些合约，作了承诺，不能反悔。不能更改的支出，因为没有选择而变为不是成本。履行合约的后果可能赚大钱，也可能亏大本，但签了不能反悔的合约，其成本是把该合约转让之价。

向前看无从摊分

传统上，上头成本还有另一个定义。那是指一家生产企业若出产几种或多种产品时，某些成本（上头成本）不能在不同的产品上摊分。例如你租了场地，有六种产品，每种产品的租金是多少呢？没有经济原则把总租金除以六，也没有经济原则按各产品之价摊分。如果场地的租约是按每种产品之价的一个分成率为租金，那则作别论。然而，签了固定租金的合约，没有生产时租金也要付，摊分就更不可能了。

传统上，经济学者认为，不摊分上头成本不打紧，因为我们知道生产时的直接边际成本，就可以解释行为了。对某些行为来说，这观点是对的，但不能摊分上头成本，会带来另一些问题。

传统之见困难重重

以不能摊分的成本来界定上头成本，有三个困难。其一是非上头的直接成本，在同一生产程序中可能出产两种或更多的产品。这样，每种产品的平均成本是不可能算出来的（边际成本可以）。不能摊分的成本不限于上头成本。

其二是若只生产一种产品，不用摊分，上头"成本"还会存在——不生产还要支付的费用还会存在。这是说，向前看，不用摊分还要支付，但成本要从合约转让或租值的角度看。

最大的问题是第三点。任何商人作任何投资之前，必然考虑到产品出售之价可以盖过其"成本"。作了投资，开了档，除了那些不生产可以不付的"直接"费用外，已成历史的投资再不是成本，上头成本就只能从资产转让的角度来衡量。这些转让之价可高可低，而其升降若不影响企业继续经营，上头成本是一个租值。

问题是，若一家企业的所有产品都只算"直接"成本，那么历史投资就血本无归，企业本身的市值会下降至零。上头成本的租值也要加上直接成本来算出产品之价。然而，如果上头成本不能按不同的产品摊分，产品之价又怎可以算出来呢？

上头成本是由市场厘定的

经济学者把整个问题看错了！先有一个上头成本，有原则地将之摊分在不同的产品上当然不可能。但上头成本是一项租值或准租值，只要企业不关闭，生产或不生产都存在。我们于是要把整个问题倒转来看：不是先有租值然后将之摊分，而是把每种产品所能赚取到的、高于直接成本的那部分加起来而成租值。企业的市值，是预期的川流租值以利率折为现值，减除那些在合约上不生产也要承担的负债现值。这就是企业的资产净值（equity）了。

上头成本是租值。不是先有上头成本而后摊分，而是倒转过来，从每种产品可以赚取到的直接成本以上的盈余加起来而求得的。作了投资，开了档，每种产品之价是指定了产量后，经营者可收尽收，但要受到市场竞争的局限约束，而这约束决定直接成本以上的盈余。你去订货，议价时工厂的老板对你说要把厂房的（历史）成本的一部分加进价内，是说谎话。他是可收则收，愈高愈好，多多益善，但他就是不敢明显地超越同行之价。

以上是说，上头成本是先让市场厘定每种产品之价，减除有关的直接成本，然后加起来的租值。换言之，上头成本是先由市场在不同产品上摊分然后组合的租值。因为意图参与竞争的人，要入局，也需要作类同的投资，市场是维护着已经入局的投资者的租值。换言之，上头成本是由市场厘定，由市场维护，由市场摊分。

有好几个变化，使每张订单的租值厘定方法不同。下一章我会以出版行业作实际示范，这里只大略罗列一些供读者参考。

未下注与下注后的看法

（一）未投资生产前没有上头成本，所有成本都是直接的。厂房、场地、工具、经理之类的初步大投资，若只有一种产品，摊分于预期的产量，会有产量增加平均成本下降的效果。投资与否的决策，是按预期产量的平均成本与预期的市价相比。要是有几种产品，不同产品的市价可作为未生产前摊分投资的指引。

投资生产后，投资成了历史，非成本也。上头成本会出现，但那是前文所说的不同产品的直接成本以上的盈余加起来的租值。这上头租值是在竞争下按订单算的，以产量而定，不一定有产量愈大平均成本愈低的效果。如果投资生产前的预期与事后的一致，指定了量，算进租值其平均成本会前、后相同，但事前与事后的平均成本曲线是不同的，因为历史成本不是成本，而上头成本的租值由市场竞争厘定。

成本曲线天天不同

（二）投资下注前的预期平均成本曲线往往会以量增而下降，因为要算进庞大的入局投资。开始经营后的成本曲线只能以直接成本算，很容易是碗形的。把每个产量的租值加上去，较高的总平均成本曲线的形状与开始经营后的直接成本的相似。成本曲线没有长期与短期之分，但下注入局前与开始经营后的不同。开始经营后向前看，每天的成本曲线都可以变。

从出版行业的经验看（见第七章），传统的看法是直接的平均成本曲线不断地下降。但出版行业，无论是印刷或是出版，都有多个竞争者。这竞争现象与平均成本以量增而不断下降的逻辑有冲突。我在第七章的解释，是出版行业有四个层面，从有关的需求与供应的层面看，不断下降的平均成本曲线在出版行业不存在！

（三）如果一个生产行业的需求稳定，而大家投资生产的预期准确无误，物尽其用，那么在市场均衡的情况下，历史成本会与租值的折现相若。下了注后，覆水难收的历史投资，其回报是靠上头成本的租值收入。这租值的或高或低，除了需求变动与直接成本变动的因素外，主要是其他还未参与的可能竞争者的入局投资成本。换言之，租值会受到还未入局的投资成本的保护，也是受到市场的维护了。

合约局限与价格波动

（四）如果生产有季节性的波动，时而生产用尽所能（满负荷，full capacity），时而生产力闲置，那么产品的价格的厘定，大致上有两种。其一是生产企业与顾客有长期合约的安排，或是常客（熟客）与企业有不言而喻的长期关系。这样，产品价格好些时不会因季节的波动而波动。生产企业有闲置时多赚一点钱，满负荷时少赚一点。这是因为价格的波动对买、卖双方的经营计划都有不良影响。一个不是常客的光顾，产品的价格就会按季节的波动而波动了。

（五）如果在同一行业之内，某些企业满负荷，而另一些有闲置，那么一位顾客因为讯息不足而跑到满负荷的企业订货议价，或一家企业不能应付过大的订单，又或要赶工，其价会是有闲置之价多加一点交易费用。这是因为"接单"的满负荷企业会把自己不能应付的订货发出去给有闲置的同行生产。这个"发出去"的现象是普遍的习惯，但经济学者是忽略了的。

企业无界说

这第五点有三个重要的含意。其一是企业的大小无从界定。自己的设备小，把接到的订货发出去，可变为大。其二，为了利便行内发来发去，同行者喜欢集中在一起（当然，集中还有其他原因）。例如今天珠江三角洲一带，首饰工业集中在番禺，而塑胶工业则集中在东莞。一位工厂老板对我说："从生产的角度看，我的工厂是他人的，他人的工厂都是我的。"人尽可夫也。其三，上头成本的租值厘定，不应该从单一家企业看。闲置的生产力，不管是哪家的，对整个行业都有影响。

总结复杂的一节

在上头成本的问题上，我与前辈的看法不同。我认为传统的分析加不起来。另一方面，前辈所用的上头成本概念，与他们知道的成本概念有矛盾。历史成本或没有选择的费用，不是成本。因此，上头成本要从租值的角度看。租值的厘定不是从上而下，而是从下而上。不同产品或不同机构的租值摊分是由市场的无形之手处理的。

企业开始经营后，直接成本是指那些不生产就不需要支付的费用。如果产品的价格厘定是以直接成本为凭，历史投资会血本无归。历史成本不是成本，作了投资，历史归历史，前途归前途，生产企业会不顾历史，只争取最高的、直接成本以上的盈余。有竞争的约束，但所有同行的竞争者都这样做，互相约束，也互相维护，因为还没有进入的潜在竞争者的直接成本一定较高。产品的市价于是厘定了。厘定了的市价，界定直接成本以上的盈余，这些盈余加起来就是上头成本，但因为这些盈余上上落落，企业还存在，我们要把总盈余作为租值看。租值的摊分不是先有租值而后摊分，而是以产品的市价决定产品在直接成本之上的盈余后，加起来而成租值。这就是上头成本了。与历史成本不同，租值是成本。上头成本这个概念是重要的，但不能回头看，要从租值的角度看。因为要入局的竞争者需要付出可观的直接成本，入了局的上头成本的租值由市场厘定，由市场维护，由市场摊分。漠视了上头成本这个租值概念，竞争的行为与产品价格的厘定就难以解释了。

要注意的是一条平均或边际成本曲线（或经济学上的任何曲线，或任何数学方程式），其阐释要讲内容，要讲含意。曲线的本身只是曲线一条，对解释行为用途不大。要解释行为，我们要加上内容，愈充实愈好。同样的一条曲线，在不同的阐释下会有截然不同的威力。所以我强调：理论要简单，但要有复杂的层面；要浅，但要有深入的含意。这样，一条曲线运用起来才可以得心应手，挥洒自如。

第七章：从出版与专业看成本

　　还要处理两个关于生产成本的话题。其一是碗形的平均成本曲线对竞争的存在重要。虽然我们在第六章处理过，但还有问题。传统最常用的产量增加平均成本下降的例子，是出版及印刷行业，但这些行业明显地有激烈竞争的存在。本章提供出版与印刷的制作成本，是详尽的资料，产量增加平均成本无疑不断下降，但我们推出的平均成本曲线却是碗形的。

　　其二是探讨专业产出导致成本下降这个老生常谈的话题。传统的主要解释是比较优势定律。这定律无疑重要，但我认为如果所有的人天生一样，比较优势的成本一律相同，专业产出的行为不会大幅下降。

第一节：出版行业的实例

　　原则上，农业与工、商业的生产成本分析没有什么不同。经济学者分析上头成本时，不谈农业，但农业也有上头成本。经济学者分析平均成本下降时，也不谈农业，但农业也可以平均成本下降。说过了，理论要以简单为上，但简单的理论，其可用性要经过复杂的蹂躏。农业的生产成本分析比工、商业的简单得多，不是因为有什么不同，而是在农业上有好些细节我们可以置之不理。工、商业把这些细节放大，不能不理，因而变得复杂起来。

有了简单的基础，把之复杂化，然后再回复简单，那么简单的理论就有复杂的层面，有深度，用以解释世事就得心应手了。

世界上的生产行业多如天上星，但无论怎样不同，生产成本必定有一般的规律。我们不可能调查研究所有的行业，才推出有一般性的规律来。选几个行业来一般化是可以的，但我认为比较可取的办法，是选一个有全面性的、不同成本有清楚划分的行业，然后将之一般化。前思后想，加上要探讨平均成本下降与竞争的共存，我选的是书籍出版这个行业。这行业有四个层面：出版商、印刷商、发行商、零售商——后者书店是也。

我选的产品例子是一本一百九十二页的书，平装，封面四色，纸质良好，设计可人。不是精品，但制作比较认真。这本中文书有九万字，在香港二〇〇一年的零售价四十五元。作者有点号召力，在香港这个小市场估计可卖二千本。

出版商的成本

先从出版商说起吧。开始营业后，上头成本的生产要素有场地、货仓、电脑、经理、存货管理员等。第六章第四节说过，上头成本是直接成本以上的盈余租值。出版商这本书的直接成本如下（二○○一年港元算）：编辑与修改文字 $7,000，打字 $2,700，校对 $4,000，排版 $2,000，设计 $3,000，菲林 $2,000。以上合共港币 $20,700。

数量二千本，印制费用是每本 $6.57，总印制费用（连运费）是 $13,149。二千本的零售总收入是 $90,000，六折交给发行商，得 $54,000。作者版税百分之十（$9,000），剩 $45,000。减印制费用（$13,149），再减出版商的直接成本（$20,700），最后余下来的是 $11,151。这后者就是该书对上头成本的租值贡献了。

朋友，你要在香港搞出版吗？不容易生存啊！

印刷商的成本

如下是印刷商提供的真实数字，相当精彩：

三十二开内文一九二页平装书成本

（港币，2001 年 7 月）

书本数量	500	1,000	1,500	2,000	3,000	4,000	6,000	8,000
封面纸	$292	$454	$616	$778	$1,102	$1,426	$2,138	$2,850
封面印刷	$1,400	$1,400	$1,400	$1,400	$1,400	$1,400	$1,400	$1,624

封面过胶	$296	$461	$625	$790	$1,119	$1,448	$2,171	$2,895
内文纸	$1,575	$2,700	$3,825	$4,950	$7,200	$9,450	$14,175	$18,900
内文印刷	$3,000	$3,096	$3,336	$3,576	$4,056	$4,536	$5,544	$6,552
装订	$1,200	$1,200	$1,200	$1,280	$1,920	$2,560	$3,840	$5,120
包装	$31	$63	$94	$125	$188	$250	$375	$500
运输	$150	$150	$188	$250	$375	$500	$750	$1,000
总成本	$7,944	$9,524	$11,284	$13,149	$17,360	$21,570	$30,393	$39,441
平均成本	$15.89	$9.52	$7.52	$6.57	$5.79	$5.39	$5.07	$4.93

众所周知，印制书籍的平均成本是书量愈大愈低的。上列的数字可见，五百本是平均每本 $15.89，一千本是每本 $9.52，八千本是每本 $4.93，到七万本才跌到平线，每本 $4.52（这最后数字没有列出来）。

有行规，不算直接成本

上列数字的印制"成本"，其实是出版商的付价。价与成本相同。这不仅是因为在竞争下价格等于成本，而与第六章的分析有关的，是上述的数字反映着的主要是上头成本带来的租值。提供以上数字的印刷商是不算直接成本的，因为有灰色地带，不容易算。重要的是在印刷行内上述的每项数字都有行规，有行内的市价。一家印刷商可在某些情况下这里加一点，或那里减一点，可收则收，但求在竞争中适者生存。还有的是，上述的项目，每项行内之价分明，是利便行家发来发去给他家制造。不仅是一本书的总量或分量可以发出去，书的每项制作分发出去也是有的。有了行内成本价格的指引，赶工时就用不着花时间讨价还价了。

行内的合作与竞争是没有矛盾的。我反对博弈理论的其中一个原因，是这门学问的瘾君子不明白市场，不明白市场的竞争与局限条件，喜欢假设竞争者钩心斗角，要把对手杀下马来。他们可能忽略了杀对手不死自己会中计，而同行的对手那么多，杀之不尽，找些相熟的互相分发合作才是生意之道。

上述的金钱数字还有另一个重要的含意。这些数字包括上头成本的租值，但显然不是先有一个固定租值银码然后按量摊分。封面印刷那一项与装订那一项，开头的几个数量都有一个同样的最低收费。这显示着不是用一个固定租值摊分的。上头成本的租值是以每量的盈余算，不会有使平均成本下降的效果。但究竟该租值是否每量的比例相同，我们就看不出来了。

试产费用与准备费用

书量增加而平均成本下降这个现象，不难明白。纸张的平均成本下降，主要是因为损耗（又称"补纸"）。这是试产的费用了。四色（封面）印制，五百本的纸张损耗率达百分之四十，数万本大约是百分之五。单色（内文）印制，五百本的纸张损耗达百分之三十，数万本大约百分之四。

印刷本身的平均成本下降，主要是直接的准备费用：要洗机，要制锌版。四色的封面要制四件锌版，也要校版，所以一千四百元这个最低费用要到书量六千之后才上升。装订的平均成本下降，主要是要校机。这也是直接的成本了。

以印刷行业与第六章第三节谈及的量大而平均成本下降的理由对证，印制书籍的平均成本下降可不是因为方法有变，或熟能生巧，或有交易费用，而是因为有直接的准备成本及纸张损耗的试产成本。这些都可以明确地以量摊分。

<h2 style="text-align:center">赶工使平均成本上升</h2>

阿尔钦所说的同样之量，赶工的平均成本会上升是对的。但理由与第六章第三节说的只有两点相同。同在一家印刷厂赶工可以不谈，因为通常不这样做。通常处理急速赶工的办法（如政府要赶印大量公告，或一家上市企业要在一两天内赶印公司业绩），是分发出去给其他行家。这样，准备费用与试产费用就要重复了。另一方面，交易费用与运输费用也会增加。

从上述的数字可见，印制八千本的平均成本是 $4.93，时间大约是两个星期。要赶工，分发出去，四家印刷厂一起做，每家二千的平均成本是 $6.57。分两家的平均成本是 $5.39。不是分两家就一定快一倍，分四家就减少四分之三的时间，但分量合产是可以减少时间的。

直接成本与平均成本下降

我们不妨在印制的平均成本上加上出版商的 $20,700 直接成本。是明确的直接成本，印制一本是这个成本，十万本也一样，所以这成本可以量摊分。把这摊分加在印制的平均成本之上，我们得到如下的数字。

出版商的直接成本

书本数量	500	1,000	1,500	2,000	3,000	4,000	6,000	8,000
平均成本	$57.29	$30.22	$21.32	$16.92	$12.60	$10.57	$8.52	$7.52

平均成本下降得更急了。这解释了为什么大受市场欢迎的作家，像金庸或琼瑶，是那样富有；解释了为什么作者的版税率通常是累进的；也解释了在书籍市场不够大的地方，人民少看书。这也可以让我们推断，只要中国大事开放言论，炎黄子孙的知识会增长得非常快。

第二节：出版行业的成本曲线：碗形的阐释

解释市场的供应行为不一定需要有供应曲线。传统上，分析一个垄断者（monopolist）的供应就不用供应曲线了。（不是没有供应，而是曲线画不出来。）成本曲线比较重要，但从阿尔钦的分析可见，这曲线不一定存在。在有多个生产者竞争的市场中，成本曲线的存在是画出市场供应曲线的先决条件，因为后者是竞争者的边际成本曲线向右横加而成的。没有长期与短期之分，我们选用的是与真实市场有关的成本曲线。

老问题又来了。要有多个生产者的共存而竞争，在市场的需求范围内，一个生产者的平均成本不可以不断地下降。平均成本若不断下降，市场只可以容许一个生产者存在。我们在上一节分析过了，书籍印刷商的印制与出版商的编辑出版，若不赶急，平均成本是书量愈大而愈低的。然而，观察所得，出版行业有多个印刷商与出版商，单一存在之说不能成立。

经济学者把问题搞错了。对一个行业的分析，他们的惯例是把消费者的需求放在一边，另一边是生产者的成本曲线——有多个生产者就把他们的边际成本曲线横加起来而成为市场的供应曲线。假若一个生产者的平均成本不断下降，垄断就是后果。

一本书的成本曲线有四条

结构上，出版行业与其他生产实物的行业没有什么不同。然而，以出版为例，需求书籍的消费者面对的成本曲线，不是印刷商的，不是出版商的，也不是发行商的，而是零售书店的。出版行业有四层成本：印刷、出版、发行、零售；四套不同的成本曲线。

第一层是印刷商的成本，若不赶急，如上述，印制的平均成本是书量愈大而愈低的。这样，一本书的印制会由一家印刷商从事。这方面可看为"垄断"。但出版商通常会向几家印刷商议价，而就是不多方议价，承接印制的也不敢乱开价，因为知道有竞争者的存在。见到的垄断是有形无实的。为什么一家印刷商不能垄断整个行业呢？

印刷与出版皆以"书号"为量

平均成本下降，一家印制，不代表真实的垄断。然而，从出版商的需求与印刷商的供应关系看，平均成本是否真的下降呢？答案是：只看一本书（一个书名，内地称一个书号），量增加平均成本下降是对的。但印刷商面对的印制成本曲线，不应该以一个书号（一个书名）之内的本数为量。印刷商的成本曲线，应该以"书号"为量的单位。一个书号，印二千本，其量是一。虽然印刷商说明每本之价，但他是以一个书号的总成本，除之以一个指定的书本量。一家印刷商印制很多书号，以书号作量度单位，其平均成本是很容易会上升的。那是说，以书号为量，碗形的平均成本曲线容易成立。这样，一家印刷商不能垄断整个行业。这是说，在好些情况下，平均成本要以"工程"算。一个书号是一项工程；另一本书，或同样的书重印，是另一项工程。

边际成本的争议

这就带出一个名重一时的话题：上世纪三十年代起自伦敦经济学院的边际成本的争议。依照传统的看法，要合乎经济效率（economic efficiency），价格要与边际成本相等。价格代表着最高的边际用值，而边际成本则是增加少许生产的最高代价。边际上用值等于边际成本，产量恰到好处，不能再增加或减少产量来使大家得益。若边际成本高于边际用值，减产有利；若边际成本低于边际用值，增产有利。

然而，在平均成本下降的情况下，边际成本必定低于平均成本。这样，若价格与边际成本相等，价格会低于平均成本，生产者一定亏本。平均成本不断下降会导致"垄断"，而若价格等于或高出平均成本，也就高于边际成本，违反了价格等于边际成本的有效率情况。这是支持政府管制公共行业（public utilities）的主要理论。

可是，我们在上文提及，因为一本书的印制数量增加其平均成本下降，一个书号通常只由一家印刷商

"垄断"印制，但这垄断有形无实：印刷商是要在市场竞投的。我们还要作另一个重要的修改。那是上文提到的，以印刷商而言，一个书号之内的印制数量不是有关的平均成本量度。有关的量度要以书号计。出版商不能以二千本议价，然后以其平均价订制五百本。印刷商所开之价，虽然有每本的平均价在其内，但永远是以一个固定了的总印制量为依归。出版商选了一个书号的总书本量，同意了总量之价，是大家同意以书号为量，以书号为价。一家印刷商会为多个书号而生产，而同一书号重印时，是量的另一个单位了。

无效率的谬误

还有一个有趣的问题。同一书号印制一次，书本量愈大其平均成本愈低，所以从每本看，其平均价是高于边际成本的。上文指出，这不是适当的量度。我们问，要是用这量度而又从传统的角度看，价高于边际成本，无效率（inefficient）之说可以成立吗？答案是不可以的。任何出版商会告诉你，一个书号的书本量太多，免费送给他也不要。我们不妨回头看本书卷一第五章第七节——《何谓量？》——的关于维他命丸的例子。买一瓶多种维他命丸，除非是万中无一的机缘巧合，一个消费者会认为某些维他命太多，某些太少。消费者的有关衡量，是一整瓶之价与一整瓶给他的边际用值。这好比买一个苹果，你可能认为太甜，糖分太多，糖的边际价格是零你也不想多要，但衡量整个苹果，你明知是太甜也买了下来，何无效率（浪费）之有？

第二个出版行业的成本层面，是出版商的成本。这里，出版商的成本曲线，也要用书号算。理由跟印刷商类同。出版商要出版多个书号。从上文提供的成本数字看，一个出版商的考虑是一个书号印制一次的成本与这次书量的预期收益。以书号算，碗形的成本曲线也容易成立。

以本数算量的情况

第三个层面，是发行商以本数为量，其平均成本曲线很容易是碗形的。理由是发行商跟出版商取货是以本数算，时多时少，变化频频。发行商生意骤增时车辆不够，人手不足，边际产量下降定律就发挥其效果，使平均成本上升。存货的成本也受到这定律的约束。既然有本数可多可少的选择，发行商的碗形平均成本曲线上的每一点是他们可以处理的最低成本。

最后一个层面，是书店的成本曲线，也是以本数为量。这个层面，边际产量下降定律的效果最明显。一家书店的可用面积不容易随意增加。书量多了，互相挤逼，每本书能卖出去的机会下降，或需要较长的时间才能卖出，其平均成本就上升了。

成本曲线要有真实内容

让我作一个简略的总结吧。一个行业的成本曲线可以有多条，但我们选用的只是那些与真实世界的行为有关的。有关的不多，但要以每个不同的层面划分。需求的组合不同或生产的层面不同，我们要用不同的平均与边际成本曲线来处理。量的单位重要，不可以乱选。以书号为量是因为印制之价是以一个指定的书本量而定的。其后拆散出售，量就要转为以本数为单位了。

要注意的是一条平均或边际成本曲线（或经济学上的任何曲线，或任何数学方程式），其阐释要讲内容，要讲含意。曲线的本身只是曲线一条，对解释行为用途不大。要解释行为，我们要加上内容，愈充实愈好。同样的一条曲线，在不同的阐释下会有截然不同的威力。所以我强调：理论要简单，但要有复杂的层面；要浅，但要有深入的含意。这样，一条曲线运用起来才可以得心应手，挥洒自如。

第三节：专业生产成本大跌

马尔萨斯（T. R. Malthus, 1766-1834）一七九八年提出有名的"人口论"，很悲观。他认为人口以几何级数（geometric progression）上升，而物品供应只能以算术级数（arithmetic progression）上升，僧多粥少无可避免，最后的人口均衡点，是仅足以糊口的物质享受，以饥饿淘汰不适者。

人口大升生活大进

历史证明马尔萨斯是错了的，大错特错。今天的世界人口，比马氏时代不知上升了多少倍，但生活水平却大大地提升了：我们的平均寿命，比二百年前的人大约多活三十年。今天的中上人家，除了大屋与醇酒美人，比三百年前的皇帝还要生活得好。

据说中国在明代初期，人口大约六千万，今天上升了二十多倍。虽然二百年来炎黄子孙多灾多难，但只经过三十年的改革，今天的一般生活水平比明代初期高得多。是的，虽然今天中国还有很多老百姓贫病交迫，但生活享受还是改进了，平均寿命增长可能不止三十年。

究竟发生了什么事？为什么人口大升而物质享受也大升？科技进步当然有关，但正确的阐释是市场容许专业生产，使成本大跌，然后大家交易而互利。

在卷一第七章我说过：

以交易而交征利，与没有交易相比，个人的利益增加大得惊人，往往以千、万倍计。但这庞大的利益增加，主要是由于每个人专业生产，然后交易。不谈生产而单论交易，利益还是有的，但比起有专业生产的存在，其交易利益少得多，近于微不足道。

圆珠笔的例子

在课堂上我喜欢举圆珠笔的例子。笔的尖端用圆珠是一个价值连城的发明。这发明很有名，因为当时非法抄袭制造的人无数，持有发明专利的以法律起诉频频，但抄袭的见有巨利可图，乐意赔偿给专利者。

今天的圆珠笔，比六十多年前的质量高得多了，圆珠再不漏油，其制作牵涉到塑胶的发明，金属的混合，石油工业的油墨，也要论设计等。要是这些发明完全不存在，一百个天才，让他们穷毕生之力，圆珠笔可以制造出来吗？我认为成功机会甚小。今天一支称意的廉价圆珠笔卖多少钱？港币一元多，其中大约八成是市场的交易费用！

一个香港的平凡大学生，替中学生补习，需要用多少时间才可赚取一支圆珠笔呢？答案是：三十秒！一个平凡的大学生工作三十秒时间，可以买得一支一百个天才穷毕生之力也不容易造出来的圆珠笔。交易之利，何其巨也。

为什么会有这样的怪现象呢？经济学的传统答案，是比较优势定律。这定律弗里德曼认为是最重要的，我在本卷第五章的第二节分析比较成本时说过了。比较成本的理念，无疑可以解释专业生产的行为，但我认为不是弗老说的那样重要，因为专业生产还有其他重要的决定因素。我认为如果世界上所有的人天生一样，每个人的比较成本相同，专业生产还会发生。除比较成本外，专业生产还有其他三个因素，可能更重要。

比较成本之外的重要因素

（一）分工合作。分工（division of labour）是指不同的工人每个专于生产一件物品的一部分，然后合并起来。是斯密一七七六年提出的。斯前辈显然认为分工合作非常重要，因为他的经典巨著——《国富论》——一起笔就谈这件事。

斯密以制针为例。他调查过一家小型的制针厂，生产只用十个工人，每人造针的一部分而合并。斯前辈说，要是一个没有受过训练的人独自造针，每天造出一根针也不容易，二十根绝不可能。但他调查的小型制针厂，十个工人每天可造出十二磅针。那是四万八千根以上，等于每人每天生产四千八百根！这是分工合作的奇迹。我们在前文说过，产量愈大，可以选择的不同生产方法愈多，而分工专业有很多不同的生产方法可以选择。

（二）熟能生巧。前文说过，熟能生巧也是要产量够大才可以促成的。这与分工合作有关联，但理由不一样。我调查过一家玩具厂，差不多全部制作用件工。制造塑胶洋娃娃，我特别欣赏一个以油墨替娃娃涂上眼睛的工人。只涂眼睛，其他的娃娃事项不干。这工人涂上眼睛后随手把娃娃抛进竹箩子内。试想，油墨未干，娃娃抛进箩子，一不小心油墨就会弄污箩中的其他娃娃。我见到的那位工人从不出错，快如闪电，似乎连看也不用看就抛得层次井然。此乃熟能生巧也。

（三）知识累积。这是最重要的，但奇怪地少人提及。有价值的知识或发明，不仅可以改进，而且有比万里长城更顽固的存在性。人类五千年前的好些发明，我们今天还在用。是的，人类有价值的知识资产，一旦想了出来，驱之不去。知识资产既可改进，也可增加，积少成多，可以永无止境地累积，以至多得难以想象。

大家都知道，科技的进步既可带来新产品，也可大幅地使生产成本下降，而自二十世纪中期起，科技的进度简直如天方夜谭。我要指出的重点，是知识累积是科技突飞猛进的先决条件，而这累积是非专业处理不行的。累积了的知识的改进，也要由专业处理。

想想吧，天下间的知识那样多，那样广，那样复杂，一个人所能学得或记得的充其量是微不足道的一小点，改进也不容易。知识的累积若由很多的人专业处理，会变得庞大之极，而持有知识的专业人士合作研究，相辅相成，改进就容易得多了。今天，先进之邦的私营研究实验室，都是这样安排的。

市场对专业的贡献

市场是协助专业生产的一种安排。不是唯一可行的安排，而是其中一种。历史的经验说，以市场处理专业生产，同样产出水平市场的交易费用比其他安排的低很多。由政府分派工作，指导专业生产，不是不可以，但因为缺少了市价的指引，在比例上其交易费用（包括讯息费用）高多了。不是说市场的交易费用低：大约的估计，市场的交易费用占物价的一半以上。但专业生产而交易所得的利益，动不动以千、万倍计，减除了庞大的交易费用，余下来的交易利益也惊人。

一九八一年推断中国会走市场经济的路向时，我指出一个社会富裕与贫穷的关键，是交易费用在国民收入中的百分比。这百分比减低少许，就大富；增加少许，就大贫。但市场的安排是需要有权利界定的。这是科斯定律的主旨，是《制度的选择》的话题了。

专业生产不可能自给自足，要以自己的产品换取他人的。市场是一种安排，我们说过了。一市如是，一省如是，一国如是，多国也如是。那些主张生产多元化或支持保护主义的，是自废武功，但可以维护特权利益。

世界上从来没有一种供应，能比让供应者赚钱的供应来得可靠。香港没有农业可言，但香港人没有担心过有钱买不到饭吃。就算是一国被外地制裁，某些物品受到禁运，历史上我们没有见过有钱赚的走私被杜绝了的。走私的存在，是因为走私的费用低于专业生产的利益。

结 语

古典经济学派处理生产活动，主要是集中在远比工业简单的农业，虽然斯密的《国富论》起笔分析的是一家制针工厂。把农业简化，生产要素分劳力与土地，是有悠久的日子了。新古典的处理，引进边际产量下降定律是重要的改进，但转到工业那边以资产替代土地不是贡献，而以数学引进生产函数，在内容上也没有增加了什么。

经济学者对工业的生产运作少作实地考查是严重的缺失。本章提到的出版行业算不上是复杂的工业，但我只略作考查就显示着传统之见错漏百出。经济学者对真实世界的漠视是难辞其咎的。

边际产量下降定律重要，但多到真实世界观察，我们会发现工业的生产运作还有不少环绕着该定律的规律，甚至好些时边际成本曲线画不出来。这些变化一律有趣，考查不易，因为牵涉到合约结构的转变。我会在卷三第六章再作补充。

市场交易无疑给社会很大的利益，但这利益不足以解释市场的存在！如果交易费用真的是零，更大的利益可以不通过市场而获取。

市场的出现是证实着社会有交易或制度费用。不会因为要增加这些费用，而是某些费用市场可以协助节省。然而，无论是产权界定的费用，讯息传达的费用，市价厘定的费用，量度的费用，合约的费用——还有其他的——皆因市场的存在而存在，那么市场可以协助节省的费用是些什么呢？脑子闭塞，这问题我想了近二十年。

第八章：制度的费用

让我先简略地再说一次经济解释的理论架构。

个人争取利益极大化是经济学的基础假设或公理。这争取要受到局限（constraint）的约束。约束有多种，可以分类，而类与类之间的划分不容易明确，"过界"的混淆往往存在。这些混淆不难处理，也可以容许。要避免的是我们不能因为有混淆而重复了局限的引进。

第一节：局限转变与行为解释

解释行为，或解释因为人的行为而导致的现象，基本的经济学法门只有一个。那是从局限转变推断行为转变，而二者的联系要用简单的理论。这里的重点是"转变"。局限不变行为不会变，而不变的行为是无从推断或解释的。推断一个人走东或走西，吃饭或睡觉，都是转变，而推断得准等于解释得出。这里要注意，凡是局限或行为的转变皆属"边际"性的，而此"际"也，可大可小。数学微积分说是处理小的。其实从宇宙的变化看，小的可以看为大，大的可以看

225

为小。懂得从（边际）转变的角度看问题，技术就过了最重要的一关。数学功夫与分析技术是两回事，不要弄错。分析技术重要，因为是逻辑推理的本领。这本领不足，数学或可协助，虽然方程式满纸但内容空空如也的经济学文章可真不少。

以局限转变来解释行为或现象，这转变需要可以观察到，可以量度。简化容许，但一定要与真实世界的有关局限大致吻合。无从观察的局限转变或现象是实证科学之外的话题，涉及的理论只是描述一些听来可信的故事，但无从观察，于是无从验证，是对是错只有天晓得。以博弈、勒索、机会主义等看不到的行为或意图推理可以逻辑井然，是说故事，不是从可以观察到的局限转变来解释行为，算不上是实证科学。不可能是。

局限的两种分类

所有约束人类行为的因素是局限。局限有多种，有两个方法分类，都对。其一是把价格或代价看为一类，而价格或代价的转变一定是相对性的（见《科学说需求》第五章第六节）。这里，推断行为的理论是需求定律。所有其他局限及其转变——例如收入、资源、产权等——属第二类。这第二类的局限转变通常以个人争取利益极大化这个公理来处理。从解释行为的角度衡量，这公理因为约束力不足而用场不大。好比经济学课本的等优曲线分析有一条收入扩张曲线

（income expansion path），说一个人的收入增加，这个人选取的物品会增加，但哪些会选增加多一点哪些少一点，甚至某些物品的选择会下降了，都是容许的。肯定的约束不多，解释行为就不容易有可以被行为推翻的验证含意。这就带到我要说的：价格或代价之外的其他局限转变，在审查下，或多或少会导致价格或代价的相对性转变。这也是说，价格或代价之外的局限变动不一定带来相对性的变动，但细心审查通常有。只要能推出这后者的转变，需求定律又再用得着了。这是说，不管是哪种局限转变，我们要设法找寻价格或代价的变动，然后把需求定律放在面前。

我说"价格或代价"，因为前者通常是指市场之价。数之不尽的行为是没有通过市场的。友情、声誉等非金钱物品一般没有市场，鲁滨逊的一人世界没有市场，人民公社时代的中国也少论市场。没有市场，需求定律依然可用，但要以代价替代市价或价格。基本上，处理任何局限转变的原则是：设法把这转变翻为代价的转变，然后拿出需求定律。有市场，看市价的变动，需求定律的应用就更为方便了。

第二个把局限分类的方法，我也喜欢用，是有社会与没有社会之分。这是说，有些局限没有社会也存在，而另一些没有社会是不会存在的。社会是指多过一个人的世界。曾经说过，只因为鲁滨逊的世界多了一个人，经济分析的困难上升不止百倍。竞争是局限，产权是局限，市价是局限，政治是局限，合约是局限，风俗、宗教等也是局限，而这些局限在一人世界是不存在的。需求定律在一人世界中，因为可从代价看需求，无疑重要；社会有市场，论市价，需求定律老生常谈。然而，在社会中，市价之外的其他局限复杂，变幻频频。经济学有系统地发展了二百多年，真正有解释力的理论还是环绕着需求定律。个人的经验，是只这定律足够。问题是应用这定律的人懂不懂得处理局限的变化，能否把这变化翻为价或代价的转变。

互动衍生处理困难

因为社会的存在而衍生的局限中，最难处理的是交易费用。广义上，这些应该称为制度费用的局限，不是中间人收取的佣金那么简单。读到本章第三节同学可能感到天旋地转了。从人与人之间的互动衍生出来，自私的利益极大化行为可以导致这些费用的减少或增加。画不出函数曲线。上世纪七十年代后期开始以博弈理论的方法处理，是在说故事，是对是错无从验证。交易或制度费用不容易处理，但不是无法处理。一九八一年我准确地推断了中国会走市场经济的路，是基于我指明当时观察到的交易或制度费用的转变会是稳定的。远为细小的基于交易费用转变的推断我作过多次，都准确，但像任何实证科学的推断一样，要基于指定的局限转变会继续稳定。所有实证科学对验证条件（test conditions，大致上经济学称局限条件）都有这个"稳定"的要求。

没有疑问，以交易或制度费用的局限转变来解释或推断世事，对真实世界要知得多，而在有关的要点上要知得深入。这是实证科学要在实验室多操作的要求。一九九八年我以英文发表的《交易费用的范畴》，其中一句话受到行内的朋友普遍认同。我写道："交易费用不是一个需要争取终生雇用合约的年轻助理教授应该尝试研究的。"

第二节：从交易费用到制度费用

虽然十八世纪的休谟与斯密意识到交易费用的重要，以这些费用作为主题分析迟至一九三七年始见于科斯发表的《公司的本质》。该文说，因为使用市场机制有费用，尤其是厘定市价有费用，公司出现替代市场。是有名的文章，但三十年过去注意的人不多。一九六〇年科斯的另一篇重要文章转用交易费用（transaction costs）这一词，此词一九五〇年 J. Marschak（1898-1977）曾经用上。

六十年代，戴维德、阿尔钦等人认为科斯的公司论调是套套逻辑，反映着新古典学派的不足处。这学派要不是暗地里假设交易费用是零，就是暗地里假设交易费用高不可攀，而最大的失误是完全漠视，交易费用的存在或不存在这学派不管。马歇尔发明的长期、短期的处理方法是避开了面对交易费用的现实。

戴维德与阿尔钦认为科斯的"公司论"属套套逻辑不是乱来的。市场与公司的运作形式不同，指着交易费用的或有或无、或多或少作解释理所当然，但说了等于没说，属套套逻辑。事实上，在我构思博士论文的六十年代中期，同学之间喜欢把不明白的现象推到交易费用那边去。这当然也是套套逻辑的玩意，因为要推出可以被事实推翻的假说，验证了，没有被推翻，才算是解释。我当时重视科斯的"公司"只因为一点——他问得好：市场靠无形之手的市价指导生产；公司靠有形之手的经理指导，那是为什么？

佃农合约的启发

我要到一九六六年的秋天，肯定理论与事实皆说佃农分成、雇用劳力、固定租金这三种合约安排有相同的生产效果，因而不能不问为什么市场会选择不同的合约。在引进交易费用与风险来解释合约选择时，我突然意识到科斯的公司文章也是关于合约的选择，虽然他没有那样说。一九六七年的秋天到了芝大，认识科斯，对他说他的公司文章其实是说合约的选择。他想了几天说同意。一九六九年我的合约选择文章发表时，直说跟科斯的公司文章属同曲。

一九八三年我发表自己的《公司的合约本质》，虽然力陈来自科斯的影响，但分离颇大。有四点重要的不同。一、不是公司替代市场，而是一种合约替代另一种——市场一也。二、在生产运作上公司的大小无从界定。三、经过详尽地调查香港的件工合约，我的公司文章示范着真实世界的监管费用。四、提出"委托价"这个新理念，解释了议价与监管的困难。

交易费用的扩张

这就带到一个重要问题。监管费用是交易费用吗？明显地，监管可以没有交易，而交易不一定牵涉到监管。更难处理是监管与交易可以同时执行，二者雇用同一员工。我喜欢举公路收费的实例：守在关口收费是交易，但收费的员工同时"监管"着不付费的车辆不能使用公路。两种服务联合在一起的"生产"活动不是公路独有：同一生产程序有两种或以上的产品同时产出是经济学老生常谈的话题，joint products是也。好比羊毛出在羊身上，宰羊取肉，羊毛与羊皮同时产出。这种联合产出的活动，逻辑上我们无从把每样产品的平均成本算出来。边际成本却可以每样产品算出——羊毛与羊肉的边际产量可以调校。只要知道边际成本的变动，以这转变来解释行为就足够了。

回头说交易费用，其复杂程度远超公路的例子，更远超羊毛出在羊身上。单是市场交易的物品或资产需要有清楚的权利界定，牵涉到产权的保障，差不多所有律师及法官的收入都要算进去。此外，讯息、防盗等，皆费用也。这就是问题。数之不尽的费用跟交易没有直接的关联，而如果这些费用不付出，市场交易或多或少会受到影响。更头痛的是，昔日的中国压制市场，导致走后门、搞关系、排队轮购等费用高，而又因为政治上的需要，背口号、记术语、论思想，甚至无日无之的各种斗争——这些是交易费用吗？当时中国的市场交易很少，但可以阐释为交易费用。有点模糊，加上上文提到的联合性带来的问题，交易费用这一词可以误导。

转从社会的角度看

因此，一九六九年我逼着给交易费用来一个广泛的定义：凡是在一人世界不存在的费用，都是交易费用。这划分很明确：只有社会才存在的费用，跟一人世界也可以存在的费用是容易分开的。但这样看，以"交易费用"一词来形容人与人之间的互动衍生出来的所有费用，有颇大的误导成分。凡有社会必有制度，以制度费用（institution costs）来描述我建议的广泛定义比较恰当。然而，传统的术语不容易一下子改过来。我历来不喜欢创造术语，所以有时我称交易费用，有时称制度费用，有时把二者一起称呼。

在我们今天的社会中，交易或社会费用很庞大，往往占国民收入一半以上。商人、律师、法庭、银行、公安、经纪、经理、公务员等，都是因为有社会而衍生的。在一个以农业为主的国家，需要防盗，可以有战乱，但一般而言交易或社会费用在国民收入的比率是较低的。也不一定。在人民公社时代的中国，农民占人口百分之八十五，但政治气候促成很高的制度费用。另一方面，以工商业为主的国家，因为专业生产带来很大的利益，可以容许很大的交易或制度费用的存在而人民还可以称得上是富有。我在一九八二年发表的《中国会走向资本主义的道路吗？》中指出，只要交易或社会费用能在国民收入的百分比上下降少许，国民的总收入会飙升。二〇一〇年看，这推断是应验了。

量度方法与假说验证

这里我要提出关于交易或制度费用的另一个问题。认真地尝试过以交易费用的变化来推出假说的同事一般认为，这些费用通常难以观察，往往无从量度，推出可以被事实验证的假说难于登天。当然不易，但不是那么困难。

首先，同学们要重温《科学说需求》第四章第二节，关于基数量度（cardinal measure）与序数量度（ordinal measure）。原则上，交易费用是可以用基数量度的，即是可以加起来。但如果实际的市场的交易费用数据找不到——通常找不到——转用序数排列交易费用的高低足够。解释行为或现象要从局限的转变（边际）看，也要能成功地排列选择的次序。量度是排列，序数量度是只排列次序，不管不同的选择之间的差别。

不要被数字密密麻麻的回归分析误导。算得上是可读的经济统计文章凤毛麟角。在好些情况下统计分析可以协助，但统计也可以欺骗，而发表的数字往往不尽不实，容易误导。我在一九九八年发表的《交易费用的范畴》中有一段话，弗里德曼读后来信赞赏。那段话是这样写的：

有人说研究交易费用是白费心思，因为这些费用往往无从量度。这观点是错的。基本上，量度是以数字排列次序，而量度的精确性只能从不同观察者的认同性衡量。说成本或费用可以量度，甚或说可以量度得精确，意思不是说可以用金钱来量度的。如果我们可以说，其他情况不变，某种交易费用在甲情况下会比乙情况为高，而不同的观察者会作出同样的排列，交易费用是被量度了——起码在边际上。可以验证的假说于是可以推出。

座位票价的实例

不要以为经济学的假说验证要用很多数字，或可以画出一条好看的曲线。只用两个情况的两点往往足够。我喜欢在一个假说中推出不同的验证，这里两点那里两点。不同的验证愈多愈妙，但同一验证的点数增加通常没有大助。

一九七七年我发表《优座票价为何偏低了？》，当时不同意的行家无数，但今天高举此文的君子愈来愈多，而据说效率工资理论（efficiency wage theory）的思维源自该文（我认为效率工资是谬论）。优座票价偏低的论点简单，而我的假说验证是采用当时香港电影院的资料。当时香港的电影院的座位分等级，有两层。下层分前座、后座，后座较优，票价也较高。上层分超等、特等，特等较优，票价也较高。上层一律界定比下层为优，即是上层较差的超等票价高于下层的后座票价。

说优座票价偏低，是指上层的特等与下层的后座通常先满，而如果不满，座位票沽出的百分率永远是每层的价高座位较高。这是说，每层的优质座位的票价显然是偏低了。我提出的简单解释，是一层之内，如果优质座位不是先满，购买了票价较低的"劣"座票的观众，在开场后会跳到空置的优座那边去。换言之，让优座先满是让顾客保护着自己的座位，从而减少了监管或防止跳座的行为的费用。以查票方式监管的费用是交易费用，略把优座票价偏低，先满，利用顾客自己保护座位，会减少电影院的监管或交易费用。至于这减少监管费用会增加票房的总收入，推理分析占了该文的大部分篇幅。

该文作了几项验证，皆用两"点"序数排列的方法，而监管或交易费用我没有用金钱量度。如下是我认为最简单而又有说服力的验证。

上层的座位比下层的为优，但上层与下层有不同的进口，各有员工守在进口验票。进场后，下层的观众要跳座不能跳到上层去。其含意是，下层后座票价偏低，先满；上层特等票价偏低，也先满；然而，上层与下层相比，虽然前者一律价高于后者，但因为不能从下层跳到上层，两层之间的跳座监管费用下降为零，所以跟下层相比，上层一律较优的座位的票价可没有偏低了。验证容易。一九七五年我跑香港的电影院十多晚，没有见过上层先满的现象。

第三节：租值消散是制度费用

租值消散（dissipation of rent）是经济学的一个重要话题，可惜重视的人不多。今天一些朋友说，行内久不久传言上世纪曾经在西雅图出现过一个华盛顿经济学派。这应该是指我、巴泽尔、诺斯及其他几位同事及同学的兴趣。处理交易费用是这学派的主要研究，而比较独特之处是重视租值消散。一九八二年我离开了华大，跟进中国的改革发展，对租值消散的体会更上一层楼。是复杂的学问，我要把自己在这方面的思想发展过程从头申述，让同学跟着走一趟。

奈特与庇古的分歧

话题起于奈特（F. H. Knight）一九二四年的一篇重要但难读的文章。该文批评庇古（A. C. Pigou）一九二〇年的社会成本分析。奈特之作是后来一九六〇年科斯的大文（科斯定律源于此）的前身。分析社会成本，庇古提出公路使用的例子。两条公路，一好一坏，都是从甲市通到乙市去。好路平坦但狭窄，坏路残破但宽阔。驾车的人争走好路，互相挤迫，导致堵塞。坏路宽阔车少，永远没有堵塞的情况。好路与坏路的行车时间因而相同。庇古的看法是，好路堵塞，车辆互相妨碍，社会成本与私人成本有了分离。如果政府强行抽好路的使用税，把部分车辆赶到坏路那边走，那么转用坏路的因为没有堵塞，没有损失；付税用好路的因为有车辆少了之利，也没有损失。政府赚了税收，可做些对社会有贡献的事。

奈特认为庇古的逻辑没有错，但指出好路堵塞是因为该路不是私人产业。他指出如果好路是私产，路主会收使用费，跟政府抽的理想税有完全一样的效果。这批评重要：好路堵塞，导致社会成本与私人成本分离，无效率，可不是因为市场失败，而是因为好路不是私产，没有市场。

庇古没有回应奈特，只是在他的名著再版时把公路的例子删除。这可能把产权经济学的发展推迟了三十多年。

一九五四年，另一篇有关的重要文章出现，奇怪地没提到庇古与奈特。作者是 H. Scott Gordon，分析公海渔业。他把奈特的两条公路的使用成本曲线转为两个渔场的产出曲线。两个渔场也是一好一坏，但因为渔场不是私产，捕鱼者竞争捕钓，导致好渔场应有的租值消散了。据我所知，"租值消散"这一词起自 Gordon 的文章。

公海捕鱼之谜

一九六九年轮到我被邀请写一篇关于公海渔业的文章，重读 Gordon 之作，竟然发觉读不懂！

困难是这样的。如果海洋是私产，业主雇用工人捕钓，人数增加，捕钓的边际所获或产出的价值会下降，业主雇用工人的数量或捕钓的时间，达到工资等于产出的边际价值会停下来。时间工资等于边际产出价值是均衡点。在这点上，工人的平均产出所值一定高于边际产出所值。这二者的相差乘以捕钓的人数或时间就是海洋的租值，归海洋业主所有。这个传统的结论我没有异议。

但假如海洋是公有，任何人可以随意捕钓，Gordon 之见，是在竞争下，参与捕钓的均衡点是每个捕钓的人的平均所获等于他另谋高就的收入，即是说渔业的工人平均产出所值等于他们的时间工资。达到这一点，海洋的租值是零。换言之，公海没有业主，在没有约束的竞争下，参与的人数增加，捕钓的成本于是增加，这增加要把海洋的租值全部替代或消散了才达到均衡点。

这个看来是理所当然的零租值的均衡点当年困扰着我。海洋没有业主，没有人收租，租值是零的那一点当然是捕钓的总成本或总工资等于捕钓者的总收获，也即是捕钓者的平均成本等于平均收获。但那是定义性的均衡，说了等于没说。我想了几天也解不通的困难，是不管海洋是私有还是公有，在竞争下，各自为战，争取自利极大化，每个捕钓者都看着自己的时间成本与边际收获，二者相等会停下来。这就是问题：每个捕钓者争取自己边际所获等于时间工资，怎可以导致在整体上每个捕钓者的平均所获等于时间工资呢？

归功古诺算了

我终于推出的答案，是如果海洋公有，自由竞争导致海洋的租值是零，需要有无数个捕钓成本相同的竞争者参与，每个参与者的捕钓时间无限少，才可以有个人边际所获等于时间工资而同时将海洋的租值消散为零。公海捕钓，租值全部消散要有无数个相同的捕钓者，而每个的捕钓时间要近于零。数学方程式及几何都证得清楚，逻辑不会错。

正当沾沾自喜，却发现那是一八三八年法国伟大经济学者 A. A. Cournot 提出的双头垄断（古诺模型）分析加上自由参与的伸延。我于是在文内把功劳推到古诺那边去。

（这里要给同学们提点一下。如果当时我不归功于古诺，没有谁会看得出与古诺有关联，我会因而大名远播。外人不应该看得出，因为古诺的图表是说产品，我的是说劳力，而他没有伸延到无限个参与者。再者，我的理论是全由自己想出来的，事前没有想到古诺，不提及他学术道德及格。但当时认为既然古前辈先说了类似的，就说是他的吧。做学问，有恃无恐才是英雄好汉。我那一九七〇年发表的关于公海捕钓的题为《合约结构与非私产理论》的文章也不倒楣。二〇〇九年见到一位来自加州大学的教授，他说该文是今天好些大学的"天然资源"课程的必修读物。）

租值全部消散不容易

在分析公海渔业的租值消散中，我得到一个重要含意：租值全部消散很不容易。海洋公有，如果捕钓者的本领不同，或时间成本不同，只有在边际上的赚取不到租值，在边际内好些捕钓者会获得一点租值甜头。如果捕钓的人数受到约束，参与的会有更多的租值分享。这使我想到公海的渔业会鼓励工会出现，限制会员人数；或通过政府约束渔船的牌照数量。换言之，在非私产的情况下，减少租值消散的行为或政策会出现。渔船的牌照在市场有价是反映着公海的租值。这是后来一九七四年我发表《价格管制理论》的一部分思维。

佃农分成的启示

另一个有关的思想来得较早。一九六六年写《佃农理论》时，我已经熟知公海渔业的租值消散。台湾一九四九年推出的土地改革，把农业地主的平均分成率从百分之五十六点八约束在百分之三十七点五，导致租地农民的劳动力投入增加。我想，难道这是局部的公海捕钓劳力增加而促成某部分的农地租值消散吗？

跟着的推理是，如果台湾的土地改革不是约束佃农的地主分成率，而是把农地的产权以股权处理，然后由政府强逼地主把一部分的股权送给农民，使耕耘成为地主与农民的合股制，耕耘的劳力投入不会增加，租值不会局部消散（见《佃农理论》一一五至一一七页）。这带来一个重要的发现：资源使用的权利没有界定，跟资源收入的权利没有界定会有相同的租值消散的效果。

价格管制与租值消散

上述的关于租值消散的几个重点的合并，加上用了几年时间考查香港当年的租金管制，带出我一九七四年发表的《价格管制理论》。只二十多页纸写了一整年，易稿十多次，但还是难读，虽然巴泽尔认为那是关于交易费用的最重要文章。二〇一〇年十一月二十三日我发表《内地价管山雨欲来乎？》，其中两段简述该价管理论，一位朋友认为简述得清楚：

一九七四年我发表的、今天在行内受到重视的《价格管制理论》，是一篇难读的文章。简化到最简我是这样说的。如果一件物品的市价值七元，政府管制只准卖五元，那两元的差额没有清楚的权利界定，在竞争下租值消散会出现。这消散会通过市价之外的其他决定竞争胜负的准则出现，例如排队轮购。但排队的时间成本对社会什么贡献也没有，只在边际上替代了那两元的所值，所以是租值消散的浪费。

我跟着问：可以替代市价的其他准则有多种，市场会采用哪种呢？我的答案是市场会采用在局限约束下，租值消散得最少的竞争准则。巴泽尔认为这是整个交易费用范畴中最重要的一句话。这重点，行内的朋友读得懂的不多，但北京的朋友应该是专家。他们会记得上世纪八十年代，因为价管的普及而引起的倒买倒卖及其他说之不尽的贪污行为，或走后门、搞关系等。这些行为，以我一九七四年提出的价管理论看，是用上在台底界定权利的法则来减少租值消散。

要点的总结

说这简述比原文较为清楚是对的，但只是因为好些重点被拨开了。我会在《制度的选择》补充。如下罗列同学可以明白的几点。一、价值或收入没有权利界定，导致以排队轮购的时间浪费来取代价值，是租值消散，跟公海捕钓的租值消散完全一样。二、排队轮购的租值消散显然是一种交易费用，也是制度费用。三、本章第四节将会解释，所有租值消散都是交易或社会费用。四、租值消散的行为不限于排队轮购，所有因为权利界定不明确的竞争带来的租值下降都是。五、以排队轮购为例，如果所有排队的人的时间成本相等或相近，总租值的消散会比这些人的时间成本差别大的情况高。时间成本最高的排队者是边际的"排客"，对此客来说，价值权利没有界定的那部分租值是全部消散了。时间成本较低的被成本较高的保护着，可以赚取一点价格管制赠予的租值，但这是假设在价管下产品或服务还会继续出售。

难题的所在

考虑最后第五点吧。在价格管制下，可以局部替代价格的其他竞争准则有多种，排队轮购只是一个可能的选择。怎会选排队呢？如果排队的人的时间成本有大差别，总租值的消散会比排队的人的时间成本大致相若的为低，所以如果其他局限条件容许，前者的情况会偏于选择排队轮购。价格管制的分析困难不是传统说的不均衡或只有天晓得是什么的"短缺"，而是我们不知道在价管下哪一种竞争准则会局部取代市价。如果知道，例如知道排队轮购会被采用，均衡分析易如反掌。那所谓"不均衡"只不过是说有关的局限为何我们不知道。

我提到的"如果其他局限条件容许"是关键问题，也是大难题。只要我们知道这些有关的"其他局限"，个人争取在局限下利益极大化的公理会引导我们推断哪种价格之外的竞争准则会被采用，因为这公理含意着的是选择在局限下租值消散得最少的其他竞争准则。只要知道这些其他准则是什么，均衡分析是学生习作。价格管制的困难，是在理论上我们要推断哪些其他竞争准则会被采用。这是我那一九七四年的文章难读的原因。有机会我会在《制度的选择》分析得再深入一点。

从租值消散看一般均衡

这就带来这节要说的另一个重点。租值消散是指在边际上全部消散，在边际之内一般只是局部消散，局部被边际的消散保护着，得享一点租值的甜头。这是说，像第六章分析上头成本那样，租值享受的权利可以由竞争保护，由竞争厘定，由竞争分配。这里的重点是：任何经济分析，如果在边际上有应该消散的租值，但没有消散，这分析一定错！这个法门，用熟了，可以在很短时间判断一个分析为错，而这样错的专业分析比比皆是。没有应该消散的租值的分析不一定对，有则一定错。

我这个七十年代初期想出来的、应该消散的租值在边际不存在的均衡看法，其实是经济学说的一般均衡。跟瓦尔拉斯（L. Walras）的以方程式算出来的一般均衡是两回事。他的一般均衡是方程式"均衡"，没有经济内容。我提出的一般均衡用不着方程式，是经济均衡。后者是经济解释需要的。瓦前辈的均衡是在办公室里算出来的；我的均衡是指找到可以在真实世界验证的假说。同学要选哪种呢？

第四节： 市场节省了些什么？

中国的甲骨文显示，市场交易盘古初开有之。尽管我们知道今天的"先进"市场麻烦多多，不尽不实的瞒骗行为的困扰不少，我们不能否认市场的存在是人类生存及进步的一个主要引擎。分析生产成本时我指出大家知道的：专业生产可以带来数以百倍计的产量增加，或导致平均成本大幅下降。专业生产主要是要由市场交易带动的。一七七六年斯密说：专业生产的程度是被市场的范围约束着。这句有名的格言，是对是错曾经吵过一阵。结论是小节有错，大体上对。

交易费用是零的失误

奈特一九二四年说没有私产不会有市场；科斯一九六○年说只要权利有清楚的界定（私产也），交易费用是零（他这样说），通过市场的运作，不管权利界定属谁会有相同的资源使用的效果。一九八二年我在《中国会走向资本主义的道路吗？》那小书内提出异议：

如果广义的交易费用真的是零，我们要接受消费者的意欲会不费分毫地准确表达；拍卖官与监察者会免费搜集与整理讯息；工作的人与其他生产要素会得到免费的指引，去从事与消费者的意欲完全吻合的产出；每个消费者获得的产品与服务，跟他的意欲会是一致的；仲裁者会免费地决定一个工作者或消费者的总收入：把工作者的边际产值，加上社会其他所有资源的租值的一个分成，而这分成是依照大家不费分毫地同意的任何一种准则而决定的。如此推理，科斯的效果可以没有市价而达致。

科斯与阿罗（K. Arrow）同意这段文字说的。

脑子闭塞二十年！

这就带来一个难倒了我多年的问题。市场交易无疑给社会很大的利益，但这利益不足以解释市场的存在！如果交易费用真的是零，更大的利益可以不通过市场而获取。事实上，二十世纪上半部的经济学文献，不少直指在社会主义下，由中央指导生产及分配会比市场更有效率。这观点，跟着的史实无情地推翻了。

交易费用全部是零不会有市场，市场的出现是证实着社会有交易或制度费用。明显地，市场的出现不会因为要增加这些费用，而是某些费用市场可以协助节省。然而，无论是产权界定的费用，讯息传达的费用，市价厘定的费用，量度的费用，合约的费用——还有其他的——皆因市场的存在而存在，那么市场可以协助节省的费用是些什么呢？脑子闭塞，这问题我想了近二十年。

草原畜牧的启示

二〇〇一年的一个晚上，我想到一篇只两页纸的文章。作者 A. Bottomley，一九六三年发表，关于非洲的黎波里塔尼亚的草原。二〇〇八年我在自己的《中国的经济制度》对该文给我的启发有如下的评述：

作者的论点，是的黎波里塔尼亚的草原极宜种植杏仁树，但因为草原公有，于是用作畜牧。有价值的资源毫无约束地让公众使用的现象曾否出现过，我历来怀疑，但假设真有其事，租值消散是效果。那么，的黎波里塔尼亚的草原公用畜牧，其交易或制度费用是些什么呢？答案是消散了的租值！在我一九七四发表的关于价格管制的文章里，我指出租值消散是一种交易费用。的黎波里塔尼亚的例子，同样的看法比较困难，但在两方面土地的租值消散真的是交易或制度费用。一方面，租值消散不会在一人世界发生；另一方面，成本（这里指费用）是最高的代价——的黎波里塔尼亚的畜牧代价是种植杏仁树的土地租值。定义说，把草原转作种植杏仁树的用途的总交易或制度费用，一定不会低于租值的消散，否则这用途的转变会出现了。跟着的含意是，如果我们能认定这些费用在哪方面有了转变，制度的转变可以推断。这正是一九八一年我推断中国会走向市场经济的道路的方法。

如上可见，租值消散不限于公海捕鱼那类情况：竞争公海捕钓，提升了参与的劳动力成本，局部或全部替代了海洋在有私产界定的约束下可以获得的租值。的黎波里塔尼亚的例子示范着的，是草原可以植果树，租值较高，但因为畜牧而放弃了租值较高的植树用途。换言之，租值消散可以通过多种不同的形式，而私产的界定与市场的出现是协助减少租值消散。

租值消散是竞争现象

这就带来租值消散的基本性质。任何资源或资产的用途有多种，要达到最高租值的用途不容易，因为有讯息费用等局限的约束。租值消散的概念不是指最高租值的用途达不到。使用者作出错误的决策而导致租值下降为零，也不是租值消散。租值消散的概念，一定要从人与人之间的竞争导致的租值损失看。鲁滨逊的一人世界，算他蠢到饿死，也没有租值消散。鲁滨逊的收入全部是租值，因为没有竞争半点也没有消散，虽然他可以频频作出错误的决策，使良田美池的租值或产出化为乌有。

的黎波里塔尼亚的草原用作畜牧而不植树，显然是竞争的结果，因而可以看为租值消散。我在一九七〇年的《合约结构》一文提到，牛或羊可以在晚上带回家，但树却不可以搬来搬去，所以除非土地有清楚的界线划分，有产权的保障，植树会被牲畜吃了。的黎波里塔尼亚的例子，是畜牧者竞争着使用公有的草原。租值消散但不会全部消散，跟上节分析公海捕钓的情况一样。把土地划分作为私产有法律费用，有界定及保护费用，也有政治及其他费用，都是制度费用。租值消散也是制度费用，皆从狭窄的交易费用扩大来看。如果植果树的价值急升，或界定土地作为私产的费用下降，的黎波里塔尼亚的草原的权利制度会改变，租值消散这种制度费用会下降，但界定私产的制度费用会上升。

制度费用是约束竞争的费用

竞争一定受到约束人类才可以生存。凡有社会必有竞争，凡有竞争必有制度。制度的形成是为了减低租值消散，也即是以一种制度费用替代另一种。从乐观的角度看，这替代偏于减低制度费用；从悲观的角度看，这些费用可以因为人的自私而增加了。是后话。在《制度的选择》我会带同学们走进更深入的层面：约束竞争的安排是合约安排；约束竞争的费用是交易或制度费用。

回头说市场，是制度，当然也是约束竞争的安排，而市价是约束及决定竞争胜负的准则。在多种决定经济竞争胜负的准则中，只有市价不会导致租值消散。本节可见，市场的形成与市价的采用不是天经地义的事，往往要经过千山万水。中国的经验可教。

市场节省了些什么？节省了租值的消散。在众多竞争准则中只有市价不会导致租值消散。市价的采用与厘定要付出产权界定、讯息传达、量度监管、合约磋商、风俗法律，等等费用。那是奢侈的竞争准则，只是租值消散往往庞大，为了生存人类的选择是换得过。多么精彩的世界，多么有趣的学问。然而，再推下去，人类可能自取灭亡。

第五节：从帕累托至善到帕累托至悲

意大利大师帕累托（V. Pareto, 1848-1923）是施蒂格勒高举为当时唯一的执着于以验证来解释世事的经济学者。帕氏得享大名主要是提出了一个资源使用的情况，我在《科学说需求》第七章简介如下：

帕累托说：资源的使用及物品的交易可以达到一个情况或条件，满足了这条件，我们不可能改变资源的使用，使一个人得益而没有其他人受损。换言之，要是这条件不达到，我们总可以改变资源的使用或市场的交易，使社会起码有一个人得益而没有其他人受损——这也等于可使整个社会的人得益。

这两句话有略为不同的称呼：客观称帕累托条件（Pareto Condition），价值观称帕累托至善点（Pareto Optimality）。这格言重要，因为是最简单的描述一个复杂社会的资源使用的一般均衡。用于社会，不用于一人世界。在社会的资源缺乏与竞争的局限下，经济学的公理说每个人争取自己的利益极大化，达到资源使用的最"理想"的一般均衡就是帕累托指出的情况。历久以来，经济学者以这情况或条件的达到来形容社会经济有效率，违反了是无效率。然而，当我们引进交易或制度费用作为一种无可避免的局限，帕累托条件或至善点的阐释改变了。

一人世界没有无效率这回事

经济本科一年级的课本喜欢先教鲁滨逊的一人世界，提出一条"生产可能性曲线"，鲁滨逊的产出点在该线上称有效率，在该线之内称无效率。落笔打三更，教错了。鲁滨逊的产出点怎可以在"生产可能性曲线"之内呢？假设的公理说，鲁滨逊在局限下无时无刻不争取个人利益极大化，既然该曲线说"可能"，即是说在局限下最高的可能产出，定义上鲁滨逊的产出点一定是在该线之上，逻辑不容许产出在该线之内。

你说鲁滨逊会在局限下争取利益极大化，又说这极大化有曲线为限，他怎可以走进该曲线之内呢？他的产出在哪一点，曲线一定穿过那一点才没有逻辑上的矛盾。说他选在该曲线之内的是违反了定义，属蠢到死的不可能。就算鲁滨逊自己蠢到死，跌跛了脚，产出下降，那只不过是局限变了，"生产可能性曲线"要重新画过。

社会：从自助餐说起

既然一人世界的资源使用不可能无效率，转到社会看帕累托条件怎会有无效率呢？我喜欢从自助餐的例子看。吃自助餐要付一个固定的人头价，然后自助，吃多吃少随君便。这样，顾客当然吃到最后一口的边际用值为零，甚至有吃不完的弃于台上。餐馆提供自助餐的食品的边际成本可不是零。边际成本高于边际用值是浪费，而所有前者高于后者的每口浪费加起来是总浪费了。这样看，自助餐的供应无效率，违反了帕累托条件。

如果我们问，为什么会有自助餐这种收费安排呢？答案显然是减少了交易费用：量度顾客食量的费用，顾客点菜的麻烦，结账时多了手续，等等，都是交易费用。原则上，餐馆提供自助餐要基于交易费用的节省高于顾客大吃一通的浪费。我们也可以推断，自助餐提供的食品不会是很珍贵或是成本很高的，因为珍贵食品的浪费会容易地超过交易费用的节省。同样，我们可以理解某些自助餐提供珍贵食品时，餐馆会加上限量的约束。这里的要点是：加上交易费用的考虑，食物的边际产出成本高于顾客的边际用值是满足着帕累托条件的要求。

上述自助餐的经济解释，用上的法门又是需求定律与局限转变。但这里带来一个重要的理念：自助餐被视为浪费，无效率，只不过是因为我们漠视了交易费用。单是为了解释吃自助餐的顾客狼吞虎咽，我们不需要引进量度及分类算价的交易费用，只提出按人头算价的收费，吃多少没有约束，就足够了。但如果我们要解释为什么自助餐的收费安排会被采用，这些交易费用非引进不可。前者有浪费，后者没有。要点是：解释一个现象不一定需要把足以满足帕累托条件的局限放进去；"浪费"的行为起于我们无须顾及所有局限来解释狼吞虎咽。如果真实世界所有有关的局限都放进去，浪费算不出来。

这就带到帕累托条件的一个重要用途。解释一个现象，当我们发觉指定的局限有浪费的效果，我们要审查一下没有引进的促成"浪费"的其他局限是否需要引进。

租金管制的实例

自助餐的实例是浅的，示范着无效率与有效率的分别只不过起于局限的引进不同，而足以解释某些行为或现象的局限引进，往往不需要考虑足以满足帕累托条件的其他局限。在真实世界中，我们不容易找到像自助餐那么显浅地示范着局部或全面性的局限引进。处理的方法其实一样，但好些实例我们要用上几年时间才知大概。结论永远一样：局限是指无可避免的，无论政府的政策如何失败，只要引进所有有关的局限，帕累托条件是满足了的。换言之，无效率这回事，是经济学者有意或无意间把某些局限漠视了。最常被漠视的是交易或制度费用。

我曾经用上几年时间调查香港的租金管制，发表了三篇文章，虽然其中的《价格管制理论》行内的朋友认为重要，但那为祸不浅的租管的出现与持续不易明白。单看该政策的效果，帕累托会立刻昏倒。

一九四七年，香港政府考虑推出租金管制，理由是要让二战逃难后回归的港人有栖身之所。当时的港督委任五个委员决定，是港督事前知道会投租管一票的。其中两位是可从租管赚钱的律师。为该管制写法例的英国律师说明他不懂，对自己写的有怀疑。港督说是暂时性的，但延期两次后转为不暂时，法例后来修改了三十多次，合共管了四十多年。灾难是明显的：当年香港的人口急升，但因为租管旧楼不容易重建加高，租客与业主吵骂甚至大打出手的故事天天有。就是今天，在香港市区重点的破落建筑物不少，一般是昔日的不同租管遗留下来的痕迹。

我曾经跟两位专于处理租管案件的香港法官详谈过（一位被邀请到我西雅图的家做客一个星期，天天谈）。他们一致认为，如果一定要推出租管，香港修改了多次的法例是最可取的，可教，但香港的经验是早知如此，悔不当初！

我不敢说解通了香港当年坚持租管的局限密码，但认为四个局限是明显的。一、无知——修改了三十多次是无知的证据。二、愚蠢——无知是学问不足，愚蠢则奇哉怪也。一九六二年在修改法例时不小心地加进一个蠢注脚，说一九六五年底前申请立刻重建可以有较大的容积率。重建狂潮出现，导致银行挤提与楼价暴跌。愚蠢是局限，也无可避免，帕累托要笑出声来吧。三、利益团体不易处理。律师的利益姑且不论，业主有业权，租客有住权，而什么议员政客有治权，三者混淆不清。无意为祸可以惹来大祸。四、一项暂时性的法例，惹来的麻烦香港政府初时做梦也想不到。世界复杂，看似可以调控的法例带出其他事前想不到的局限转变。今天回顾，这些其他局限当时是真实的，所以帕累托条件是满足了。

盗窃的帕累托观

经济学者塔洛克（G. Tullock）提出一个问题与一个答案。我认为问题有趣，但答案却是错了。塔兄问：盗窃对社会何害之有？窃贼得物，物主失物，一得一失，何害之有？塔兄的答案，是物主为了防盗，要花钱购买门锁及其他防盗设施，而政府为了提供保安，要抽物主的税，这些加起来的社会费用不少，所以盗窃对社会有害，违反了帕累托条件。你同意吗？

这里的问题，是经济学的基础假设是每个人在局限约束下争取自己的利益极大化，而这基础假设是帕累托至善点或条件不可忽略的。拿开这假设，帕累托条件不可能在逻辑上成立。斯密说人类的自私会给社会带来利益，当然对，但《国富论》轻视了人类的自私会容易地增加社会的交易或制度费用。

盗窃、欺骗、打家劫舍、恐怖活动等行为，都是在局限下争取个人利益极大化的结果。是定义性的，经济学的范畴不容许从另一个角度看。不是说不可能有另一些解释力更强的基础假设，而是在我们今天知道的有解释力的范畴内，这传统假设要墨守成规。你说人有时自私，有时不自私，那么任何行为都可从自私或不自私作解释，不可能推出可以被验证（即有可能被行为推翻）的假说。捐钱协助穷人是自私吗？只有上苍知道，但作为一门科学，经济学要坚守这个假设，然后以局限的转变来解释捐钱的行为。

回头看自助餐的例子，那顾客吃到边际用值是零的"浪费"。如果顾客是不自私的，懂得顾及大众的利益，对自己会有利。餐馆的老板只要把每项食物的边际成本贴在墙上，顾客一律知所适从，每位只吃到边际用值等于食物的边际成本，量度与监管的费用是节省了，边际用值低于边际成本的浪费也节省了。这样，餐馆的老板在同行竞争下不能不减自助餐的收费，让顾客们皆大欢喜。可惜人类不是这样的。

如果上帝造出来的人只在对社会有利的行为上自私，对社会有害的不自私，社会会比我们知道的富裕得多。然而，《圣经》旧约说摩西从山上带下了"十诫"，都是教人不要自私的。我们要问：为什么《圣经》会有十诫？中国的圣人为什么教仁义道德？我们的父母为什么教孩子要诚实，要以礼待人？为什么地球上所有的风俗都有礼节这回事？我的答案是这一切都是为了减低交易或制度费用。减归减，风俗只不过协助约束着某些增加制度费用的行为，把人类选择的局限在某方面略为改变了。自私的行为还是会增加制度费用的。

博弈理论无济于事

斯密没有重视自私带来的"祸",是博弈理论三十年来盛行的原因。对真实世界认识不足,不重视局限的变化,好些行为无从解释,而引进博弈理论只不过是卖弄一些花拳绣腿,说故事,无从验证。

经济学有一个霍特林(H. Hotelling, 1895-1973)悖论(Hotelling Paradox)。这悖论说,有一条很长的从东到西的公路,人口平均分布。为了节省交通费用,要开办一家超市当然选建在公路的中央点。要开办两家,理想的选择是分别建在路的东西两边的四分之一。然而,为了争取顾客,东家与西家都争着向中央移动,最后的均衡点是两家一起建在公路的中央处。这是博弈的行为,而如果有三家,则大家会转来转去,永无止境地转。

有实用性的经济解释可不是这样的。只要知道局限的约束情况,我们可以推断超市的位置会在哪里,或有多少家。一家可以收购另一家,或多家可以合股经营,或有无数小家分布在路上的多处,甚或离开公路可能是较为优胜的选择。但我们对局限的变化要知道很多:地价、人口分布的性质、商业区的位置、超市的连锁性、雇用员工的方便程度等。要知道这些的大概可不容易,但知道了解释超市的分布不困难。

这里我要重复说过的:理论要简单,但要有深入的层面;局限可以简化,但要经得起复杂的蹂躏。

人类灭亡是帕累托至悲

如果我们接受自助餐的浪费是满足着帕累托的条件或至善点，那我们要接受其他因为局限与自私带来的祸也满足着帕累托，甚至人类灭绝也是。局限如斯，自私若此，在定义上逻辑不容许其他选择。算进所有的有关局限，帕累托至善与帕累托至悲是同一回事。

从"至善"的角度看，自助餐这类收费安排是不会灭绝人类的——不管浪费多大也不会。这是因为餐馆的老板有选择：自助餐的浪费如果高过非自助餐的交易费用增加，该老板不会供应自助餐。如果老板生得蠢，坚持提供浪费高于费用节省的自助餐，市场会淘汰他。

适者生存，不适者淘汰，在个人或个别机构各自为战、各有自己的选择的情况下，会给社会带来进步。经济学鼻祖斯密是个大智大慧的人。他说人类自私是适者生存的结果，而他分析农地操作的制度演进，也是适者制度淘汰不适者。虽然在农地制度演变的分析中他严重出错（见拙作《佃农理论》三十二至三十四页），他的适者生存的思维实在好，也实在重要。这思维有说服力，影响了后来可能是人类历史最伟大的科学家：达尔文。

可能因为自私自利竞争的淘汰一般给社会带来好效果，斯前辈不重视自私带来的祸。我们不容易明白为什么斯前辈当年没有想到，人类的自私带来的制度费用提升或局限转变，可使个别的人或机构没有退出或不参与的机会，因而可能导致很大的损害。斯前辈当年也没有想到，人类的智慧可以制造出足以毁灭全人类的武器。

想想吧。昔日香港的租金管制只是一小撮人的决策，但推了出去收不回来——业主与租客的选择要弄到一团糟才逐步修改。然而，与当年死人无数的中国人民公社相比，香港的租管属小儿科。单是二十世纪这一百年，人为的大灾难出现过多次。一九四五年核弹爆于日本，三十年后核武的研发与制造，据说足以毁灭全人类几次。个别的人或机构没有不参与的选择可以有恐怖的效果。

二〇〇七年二月二十二日我在一篇文章写道：

人类怎会互相残杀呢？答案只有一个。自私无疑可以给社会带来利益，但自私也可以增加交易费用或制度费用。只要这些费用因为自私而变得够高，人类可以毁灭自己。在这样的局限下，人类因为脑子了得，发明了可以毁灭自己的武器，有不少机会会因为自私增加了交易费用，导致宇宙没有出现过的生物自取灭亡。只有人类可以做到，因为只有人类才有足以毁灭自己的"智慧"。

达尔文的"适者生存，不适者淘汰"是套套逻辑，但非常重要，因为加进内容可以推出无数有解释力的假说。帕累托条件对经济的看法是重要的思想，也属套套逻辑，我们也要把内容放进去才推得出可以验证的假说。当我把交易或制度费用放进去，得到的结果是帕累托至善与帕累托至悲相同！

虽属套套逻辑，帕累托条件毕竟提供一个简单而重要的角度看世界，协助我们在解释行为的过程中，面对多而复杂的局限转变时，作出清晰的选择。很好用；我常常用。不要忘记帕累托条件的一个重要含意，是在社会的竞争下，可以避免的局限一定避免。我们不要把对解释世事无关的局限放进分析去。